Diogenes Taschenbuch 23319

Martin Suter

Business Class

Geschichten aus der Welt des Managements

Diogenes

Die Erstausgabe erschien 2000
im Diogenes Verlag
Sämtliche Kolumnen wurden unter
denselben Titeln zuerst veröffentlicht
in der *Weltwoche,* Zürich,
im Zeitraum September 1995
bis September 1999
Umschlagfoto: Copyright © 2000
Edouard Berne/Tony Stone
Bilderwelten, München

Veröffentlicht als Diogenes Taschenbuch, 2002
Alle Rechte vorbehalten
Copyright © 2000
Diogenes Verlag AG Zürich
www.diogenes.ch
100/05/8/10
ISBN 3 257 23319 1

Inhalt

Der Mann ohne Zeit

Eine bange Stille lastet über dem Sitzungszimmer und kriecht langsam in die Herzen der fünf Männer am Konferenztisch. Nicht mehr als drei Minuten, nicht mehr als drei Minuten, sagt eine Stimme in Rinderknecht. Wahrscheinlich die von Hotz oder Denzler oder Aschwanden oder Brändle. Alle vier haben ihm immer wieder eingeschärft: »Schneebeli hat keine Zeit. Beschränken Sie Ihre Ausführungen auf höchstens drei Minuten. Sonst verliert er die Geduld.«

Was passiert, wenn Schneebeli die Geduld verliert, weiß man nicht so genau. Nur soviel: Es muß verheerend sein. Rinderknecht kann, wenn er die düsteren Andeutungen höhergestellter und erfahrener Mitarbeiter (unter anderen Hotz, Denzler, Aschwanden und Brändle) richtig deutet, nicht einmal physische Gewalt restlos ausschließen. Er hat also seinen Beitrag, eine Analyse der potentiellen Tagungsorte für die Händlertagung, auf zwei Minuten sechsunddreißig destilliert. Handgestoppt in der Abgeschiedenheit seines Wagens auf dem Parkplatz des Vita-Parcours.

Hotz, dessen Kästchen im Organigramm noch halbwegs in Rufweite von Schneebelis liegt, mildert die Stille mit dem selbstsicheren Räuspern des Habitués, der keinen

Respekt vor der Umgebung bezeugen muß. Denzler mißdeutet das Räuspern als Warnung vor Schneebelis Eintreten und schaut zur Tür. Aschwanden und Brändle folgen seinem Blick. Rinderknecht ist schon praktisch auf den Beinen, als Hotz mit einem milden Lächeln den Kopf schüttelt und die anderen nervös einstimmen.

»Nur keine Panik, Herr Rinderknecht, Sie kommen noch früh genug dran«, schmunzelt Hotz gönnerhaft. Denzler, Aschwanden und Brändle schmunzeln mit. Dann lähmt sie die Stille wieder.

Nicht mehr als drei Minuten, denkt Rinderknecht und lüpft verstohlen die erste Seite seines Exposés.

Denzler malt mit einem gelben Highlighter auf seinem Papier herum und denkt: drei Minuten. Höchstens drei Minuten.

Aschwanden starrt an die Decke und denkt: Das schaff ich leicht in drei Minuten.

Brändle zieht seine Armbanduhr aus und legt sie neben seine Klarsichtfolie.

Hotz unterbricht die Stille: »Und nicht vergessen: Nicht mehr als drei Minuten.« Und dann fügt er vielsagend hinzu: »Sie kennen Schneebeli.«

So sitzen die fünf Herren beklommen am Konferenztisch und warten auf den Mann, dessen Minuten so kostbar sind, daß er jedem von ihnen nur drei davon widmen kann.

Einmal setzt sich eine Taube aufs Fenstersims, und Denzler sagt: »Eine Taube.« Einmal nähern sich Stimmen der Tür. Und entfernen sich wieder.

Irgendwo in den Verästelungen des Konzerns überzieht

wohl jemand seine drei Minuten und zehrt, weil Schneebeli selber ja keine Zeit hat, von der Ration der fünf War-
tenden.

Die Minuten versickern. Eine von Hotz, eine von Denzler, eine von Aschwanden, eine von Brändle und eine von
Rinderknecht.

Die Zeit verstreicht, ohne daß die Tür auffliegt und
Schneebeli hereinstiebt und die Sitzung eröffnet, noch bevor er Platz genommen hat. Erst als die drei Minuten von
jedem der fünf längst abgelaufen sind, klingelt das Telefon.
Hotz meldet sich. »Danke, Frau Gerhard«, sagt er ver-
ständnisvoll und legt auf. »Herr Schneebeli läßt ausrichten,
er schaffe es nicht, und bittet uns, ihn zu entschuldigen.«

Das tun sie denn auch. Erleichtert und im Bewußtsein,
dem Mann ohne Zeit keine Minute vergeudet zu haben.

Knechts schwerste Entscheidung

In den ausgestorbenen Etagen jammern die Staubsauger, die meisten Büros sind schon dunkel, und in den Gängen gehen nach und nach die Leuchtstoffröhren aus. Auf Knechts Pult, Variante B des Standardprogramms »Mittlere Kader 1« in Kellco Pastellbeige, stapeln sich die Büromöbel-Kataloge. Er hat sie aus dem Mäppchen »Privat« zuhinterst in der Hängeregistratur geholt, als er sicher war, daß die Luft rein war. Denn das Studium von Büromöbeln der gehobenen Einrichtungsklasse bereits im Vorfeld der Beförderung könnte ihm von Neidern, also von praktisch allen, falsch ausgelegt werden.

Dabei geht es Knecht wirklich nur darum, die bevorstehende Einarbeitungsphase in seine neue Position nicht mit scheinbaren Nebensächlichkeiten wie der Evaluation der Büroeinrichtung zu belasten. Er möchte, daß diese Entscheidung dann, wenn sie ansteht, bereits ausgereift ist. Damit er sie mit der Entscheidungsfreude und dem Blick für die Prioritäten treffen kann, die seiner neuen Position angemessen sein werden.

Knecht nimmt sich also Zeit. Er hat zu Hause angerufen und geseufzt, daß man wieder nicht mit dem Essen auf ihn zu warten brauche. Und Melanie hat das zur Kenntnis genommen mit der Routine einer Ehefrau, die bereit ist, den Preis für die Karriere des Gatten zu bezahlen. Das ist der eine Grund, warum Knecht die Büromöbel-Evaluation nicht zu Hause durchführt: Er will die Familie rechtzeitig an die Verschärfung seines Arbeitsrhythmus gewöhnen, die, schon aus Prestigegründen, mit der Beförderung verbunden sein wird. Der andere Grund ist Melanies Aberglaube. Sie würde sagen, daß er seine Beförderung gefährde, wenn er sich schon jetzt so intensiv mit der Einrichtungsfrage beschäftige.

Bis und mit Stufe »Mittlere Kader III« sind die Einrichtungsprogramme vorgegeben. Bei »Mittlere Kader II« bekommt man eine Alternative, bei »Mittlere Kader I« die Wahl zwischen drei Linien. Aber ab »Obere Kader III« erhält die Führungskraft ein Budget zugesprochen. Und innerhalb desselben freie Hand.

Knecht hat sich schon vor einiger Zeit am Rande eines unbegleiteten samstäglichen Ausflugs ins Gartencenter mit Prospektmaterial eingedeckt. Ein verständnisvoller Einrichtungsberater hatte ihn durch stille unterirdische Ausstellungsräume geführt und ihm ein paar passende Objekte gezeigt, nachdem ihm Knecht seine Vorstellungen (»ruhig etwas repräsentativ«) und sein Budget (»etwa 25 000 Franken«) mitgeteilt hatte. Er war der erste Mensch, mit dem Knecht offen über diejenigen Aspekte einer Büroeinrichtung sprechen konnte, die nun einmal über das rein Funktionale hinausgehen. Er nahm unverkrampft Wörter wie »Chefzimmer«, »obere Benutzerebene« und »Repräsentationslevel« in den Mund und überraschte und bestätigte Knecht mit der Einsicht, daß ein Büro letztlich nichts anderes sei als eine Art, sich auszudrücken. Wie die Kleidung.

Knecht, der sich an jenem Samstagnachmittag angesichts seines gemischten Programms in einem offenen Button-down ohne Krawatte, aber mit sportlichem Veston ausdrückte, hatte seinen Büroberater erst kurz vor Ladenschluß verlassen. Mit einer auffälligen Tragetasche voller Entscheidungsgrundlagen, die er im Kofferraum gelassen und am Montag in der Mappe ins Büro geschmuggelt hatte. Seither studiert er sie oft und ernst bis weit nach Arbeitsschluß. Aus obigen Gründen. Und weil es nichts schaden kann, im Vorfeld der Beförderung als letzter das Haus zu verlassen.

Die Einrichtung des Büros ist natürlich nicht der wichtigste Aspekt einer Beförderung ins obere Kader. Gehalt, Titel, Handelsregistereintrag, Publikation, Spesenpauschale, Beletage, Business Class auf allen Flügen, Anhebung von Hotelkategorie und Hubraum des Geschäftswagens und das Visitenkärtchen mit *erhabenen* Buchstaben sind genauso wichtig. Aber man kann dabei nichts falsch machen.

Ganz anders bei der Büroeinrichtung. Knecht ist zum Beispiel überzeugt, daß der wahre Grund von Winingers Scheitern die geschweifte Messingtürklinke war, die er sich an seine Bürotür hatte montieren lassen. Eine kleine Geschmacksverirrung, eine einzige schlecht getarnte Eitelkeit, und schon wurde alles, was er tat, unter dem Aspekt beurteilt, daß er es hinter einer goldenen Türklinke tat.

Das erste, was man bei der Wahl der Büroeinrichtung falsch machen kann, ist, sie nicht wichtig zu nehmen. Das zweite ist, sich dabei erwischen zu lassen, daß man sie wichtig nimmt. Besonders in einem Stadium, in dem die Beförderung zwar so gut wie geritzt, aber noch nicht ausgesprochen ist. Deswegen studiert Knecht das Prospektmaterial im Büro nach Arbeitsschluß in Überstunden, die er auf dem Arbeitsrapport als »Administration« deklariert.

Der erste Grundsatzentscheid bei der Wahl des Chefschreibtischs lautet: Beinblende, ja oder nein? Knecht hat die Idee, dem Chef den Unterleib optisch zu kupieren, immer sehr eingeleuchtet. Es reduziert ihn auf seine Essenz: Kopf, Herz und Hand, und macht ihn dort, wo die niederen Instinkte sitzen, unangreifbar. Und, nicht zu unterschätzen, es erhöht die Exponiertheit der Vorsprechenden auf dem Besucherstuhl (über den er später entscheiden wird). Und dann hat die Beinblende noch einen Vorzug, auf den er erst nach längerem Studium der Entscheidungsgrundlagen gekommen ist: Weil sie verhindert, daß man an der dem Chef abgewandten Seite die Beine unter den Schreibtisch kriegt, erzwingt sie praktisch die Besucherkonsole, wie er die schmale, zusätzliche Tischplatte an der Schreibtischfront nennt, an der Untergebene Anweisungen notieren und Sekretärinnen Diktate aufnehmen können.

Dieses Katzentischchen am Kommandopult hat den Vorteil, daß es eine gewisse Maßstäblichkeit ins Gesamtbild bringt, wie das Streichholz neben dem Sandfloh. Knecht neigt in seinen ersten abendlichen Evaluationssitzungen sehr zum Chefpult mit Beinblende und Besucherkonsole, denn dadurch, daß es die Hierarchie schon eingebaut hat, erlaubt es dem Besitzer ein viel jovialeres Auftreten.

Es hat aber auch Nachteile: eine gewisse Behäbigkeit, eine etwas konservative Note, vor allem bei der Eschenkombination in warmen Cognac-Farben.

Weil er als Einsteiger ins obere Kader aber eher Dynamik und Progressivität ausdrücken sollte, befaßt er sich in späteren Überstunden mehr und mehr mit den modernen

Lösungsansätzen. Mit Systemen, die den Menschen in den Mittelpunkt stellen (als ob nicht gerade dieser nach Beinblende und Besucherkonsole lechzte). Und mit Designern, denen der Raum ebenso wichtig ist wie der einzelne Arbeitsplatz und für die das Büromöbel nicht Statussymbol und Reviermarke, sondern architektonisches Element zur Strukturierung von Räumen ist.

Ein weites Feld. Zwei Wochen vor der eigentlichen Beförderung hat Knecht noch nicht einmal die Schreibtischentscheidung getroffen.

Und der ganze Komplex »Repräsentanz und Ergonomie des Sitzens am Arbeitsplatz der Führungsebene« liegt noch vor ihm.

Nach achtunddreißig als »administrativ« verbuchten Überstunden hat Knecht sich entschieden. Gegen die Beinblende, gegen die Besucherkonsole, gegen alles vulgär Statussymbolische, für das Kultiviert-ästhetisch-Funktionale. Achtunddreißig Stunden intensivster Beschäftigung mit der Problematik des Arbeitsplatzes der Führungsebene haben ihn zum Experten auch auf diesem Gebiet gemacht.

Er weiß jetzt alles über durchschlaufungsfreie Kabelführung, stufenlose Höhen- und Neigungsverstellung, Verkettungselemente, Raumtrennelemente, Beistellschränke und Unterstellkorpusse. Er hat sich so sachkundig gemacht, daß er seine Entscheidung aufgrund technischer Gesichtspunkte und praktischer Erwägungen treffen konnte. Und mit Hilfe systematischer Situationssimulationen:

Er stellte sich zum Beispiel vor, wie er hinter dem ZK 5000 DL sitzt (Schwergewicht: diskrete Eleganz und wohnliche Ambiance), bei dem der Zugang zum Kabelkanal der Verkettungselemente durch Anheben und Einrasten der Platte erfolgt. Es klopft, und Heimann kommt herein. Heimann, der im Kampf um die Beförderung den kürzeren gezogen haben wird, Heimann, der immer noch in seinem Standardbüro »Mittlere Kader 1« sitzen und sich

16

jedes Mal in den Arsch beißen wird, wenn er Knechts »Obere-Kader-III«-Büro sieht. »Ach, Heimann«, würde er sagen, wenn er endlich von seinem vertraulichen (nur für obere Kader!) Papier aufblickt, »nehmen Sie doch Platz.« Und Heimann müßte sich vor die Beinblende an das Konsölchen zwängen, das knapp Platz für ein Telefon-Memo bietet.

Oder er stellte sich vor, wie er am Bildschirmeckelement seines Stilo-com-Chefbüros Esche Cognac mit Organisationsschiene sitzt. Es klopft, und Heimann kommt herein. »Ach, Heimann«, würde er sagen, »nehmen Sie doch Platz.« Und Heimann müßte sich an den abgelegenen Besprechungstischanbau setzen und warten, bis Knecht aus dem nur für obere Kader zugänglichen File im Netzwerk ausgestiegen ist.

Viele solcher Szenarien hat er durchsimuliert. Zum überzeugendsten wuchs im Laufe der Zeit das folgende heran: Knecht sitzt an der freien Arbeitsfläche seines Metropol, Schweizer Birnbaum-Furnier, naturhell gebeizt und lackiert. Bildschirm, Telefon und Arbeitsunterlagen alle auf Ablagen und Regalen über dem Haupttisch untergebracht. Es klopft, und Heimann kommt herein. »Ach, Heimann«, würde er sagen und den angedockten Besprechungstisch so weit ausschwenken, daß Heimann an die äußerste Peripherie seines Machtzentrums zu sitzen kommt, »nehmen Sie doch Platz.« Dann würde er auf den Doppel-Lenkrollen seines Trilax, der dem natürlichen Bewegungsablauf beim entspannten Sitzen absolut synchron folgt und mit seinen drei Drehpunkten den Körper in jeder Position ergonomisch richtig abstützt, elegant an das

dreischichtig verleimte Edelholzprofil der Besprechungs-
tischkante gleiten und sagen: »Fassen Sie sich kurz.«

Während Knecht so die letzten Detailentscheidungen
für die Einrichtung seines Büros nach der Beförderung
trifft, fährt unten der Mercedes von Abderhalden, Dele-
gierter des Verwaltungsrates, aus der Tiefgarage.

»Wer hat denn dort noch Licht?«

»Knecht, der arbeitet in letzter Zeit immer so lange«,
antwortet Dönni, Personalchef.

»Ist der nicht als Direktor im Gespräch?«

Dönni nickt.

»Und benötigt schon als Vizedirektor Überstunden.«
Abderhalden schüttelt den Kopf. »Haben wir eine Alternative?«

»Heimann«, antwortet Dönni.

Glaser läßt abschalten

Als Glaser dreißig war, galt es in Kreisen des mittleren Jungmanagements als unmännlich, mehr als fünf Stunden zu schlafen. In der Euphorie eines anständigen Schlafmankos wirkte alles, was man tat, viel effizienter. Streß war ein Stimulans. Man prahlte, wieviel man davon vertrug, und versuchte, sich gegenseitig unter den Tisch zu stressen.

Später, auf der oberen Führungsebene, war Streß zwar nicht mehr Modedroge Nummer eins, aber immer noch gesellschaftsfähig. Wer nicht unter Streß stand, wirkte halt doch irgendwie ersetzlich. Man konnte unter Männern über Streß reden wie über sonst ein Laster, und der andere wußte genau, wovon man sprach.

Aber heute, wo es Glaser in die Führungsspitze geschafft hat, gilt Streß, offen zur Schau getragen oder vertraulich eingestanden, als uncool. Manager, die unter Streß leiden, sind ihrer Aufgabe nicht gewachsen. Glaser wird also zum heimlichen Stresser. Er wacht zwar immer noch um vier Uhr auf und grübelt darüber nach, worüber er bis sieben Uhr nachgrübeln könnte. Aber er stellt sich jetzt schlafend dabei. Es schnürt ihm immer noch den Brustkorb ein, wenn er zur Agenda greift. Aber er greift jetzt verstohlen zu ihr, wie ein Trinker zum Flachmann. Und er reißt sich immer noch die Brille vom Gesicht, um mit beiden Handballen wütend die Augen zu reiben. Aber er tut das jetzt heimlich zwischen Sitzungen.

Doch während der offen zelebrierte Streß inspirierend und der freimütig eingestandene immerhin noch stimulierend waren, fängt der heimliche an, ihm auf die Gesundheit zu schlagen. Glaser leidet neuerdings unter Anfällen von Herzklemmen, Sodbrennen und Nachtschweiß.

Eine Weile schaut er dem zu. Dann beschließt er, sich den Streß abzugewöhnen.

Streß, sagt sich Glaser, ist ja nur die Unfähigkeit abzuschalten. Und Unfähigkeiten jeder Art sind für Glaser, wenn überhaupt, vorübergehende Erscheinungen. Er nimmt sich also vor, in Zukunft beim Verlassen des Büros abzuschalten.

Aber er findet den Schalter nicht.

Glaser sitzt am Sonntag mit seiner verwunderten Familie scheinbar entspannt beim Brunch und hat einen Klumpen aus Terminen und Pendenzen im Magen.

Oder er sitzt prustend in der Sauna und ertappt sich dabei, wie er seinen nackten Oberkörper nach einem Kugelschreiber abklopft.

Schließlich gesteht er sich ein, daß ihn das Abschaltenwollen mehr streßt, als es das Nichtabschaltenkönnen je vermocht hatte. Und Glaser tut, was er immer tut in den seltenen Fällen, in denen er zugibt, daß er etwas nicht selber kann: Er delegiert.

Er läßt sich bei seinem Arzt, einem Geheimtip unter Führungskräften, einen Termin während einer Randstunde geben und zieht ihn ins Vertrauen. Der hört sich Glaser eine Weile an, schielt ab und zu auf die Uhr und sagt dann: »IMAP. Eine Spritze pro Woche, und nach vier Wochen bist du entkoppelt. Und wenn der Streß wiederkommt, wiederholst du die Kur.«

Glaser läßt sich also abschalten. Bereits nach der ersten Behandlung fühlt er sich, als hätte man seine Seele eingeölt. Nichts kommt an ihn heran, alles perlt ab wie Seewasser vom Gefieder der Zwergtaucherli.

Nach vier Wochen ist Glaser entkoppelt. Zwar ist er nach wie vor gestreßt. Aber jetzt ist es ihm wurst.

Die höhere Gerechtigkeit

Bertschi? Gefeuert? Ist das offiziell?«

»Nein. Aber sicher. Er wurde gestern zu Hitz gerufen. Und peng.«

»Und peng?«

»Und peng.«

»Bertschi. Gefeuert. Daß ich das noch erleben darf. Hast du ihn schon gesehen?«

»Gerade vorhin.«

»Und?«

»Auffallend still.«

»Still. Bertschi still. Schwer vorstellbar.«

»Und bleich.«

»Still und bleich. Das muß ich sehen. Bertschi still und bleich.«

»Beeil dich aber. Bevor sie ihn freistellen.«

»Glaubst du, die stellen ihn frei?«

»Gut möglich. Der macht doch jetzt nichts mehr Gescheites.«

»Das hat die bis jetzt ja auch nicht gestört.«

»Offenbar doch.«

»Hehe. Bertschi rausgeschmissen.«

»Rausgeknallt.«

»Rauskatapultiert.«

»Peng!«

»Der sah sich doch schon als Hitz' Nachfolger.«

»Wahrscheinlich hat er gedacht, er wird befördert, als ihn Hitz kommen ließ.«

»Wurde er ja auch. AN DIE LUFT!«

»Haha. Der ist gut. Den muß ich Nigg erzählen. An die Luft. Ha!«

»Im Ernst: Der hat das doch nicht erwartet, so überzeugt wie der von sich ist. Das muß den getroffen haben wie ein Blitz aus heiterem Himmel.«

»Peng!«

»Pedeng!«

»Man sollte ja nicht lachen.«

»Glaubst du, Bertschi würde nicht lachen, wenn es einen von uns beiden getroffen hätte?«

»Und wie.«

»Totlachen würde der sich.«

»Trotzdem: Es ist hart. Da arbeitet sich einer elf Jahre lang hoch...«

»...mit Kratzen, Spucken und Beißen...«

»...und dann, praktisch auf der Zielgeraden: Paff!«

»Padadaff!«

»Schon hart. Haha.«

»Knallhart. Hehe.«

»Vor allem, wenn man, haha, praktisch den ganzen, hahaha, Rupert Lay auswendig gelernt hat, hahaha.«

»Und wenn, hehe, wenn man, hehehe, auf *eigene Kosten,* hehehe, drei Tage zum Top Management Forum nach Brüssel fliegt, hehehe.«

»Schon grausam, hihihi.«

»Und zwei Tage Ferien nimmt für die Tagung, hohoho, ›Erfolg im neuen Verdrängungswettbewerb‹, hohohehe-he.«

»Trotzdem, hahahihihi, man sollte nicht, hihihaha, la-chen.«

»Hohohohehehehо.«

»Hihihahahiha.«

»Ufff!«

»Oioioi!«

»Still und bleich, sagst du?«

»Still und bleich, ich schwör's.«

»Und du bist sicher? Still und bleich kann man auch nach einer Beförderung sein.«

»Bleich schon, aber doch nicht still. Nicht Bertschi.«

»Da hast du recht. Der bestimmt nicht.«

»Nein, nein: Der wurde abserviert, da kannst du dich drauf verlassen.«

»Chapeau! Wirklich: Der alte Hitz überrascht mich.«

»Mich auch.«

»Bertschi wahrscheinlich auch, hehe.«

»Hihi.«

»Peng!«

»Pedeng!«

»Pededeng!«

Sattler und das Klarsichtmäppchen

Wenn Sie mich für einen Moment entschuldigen«, hat Abt nach knapp zwanzig Minuten gesagt und ist hinausgegangen wie ein Mann, der ein gigantisches und nur für ihn überschaubares Räderwerk brisanter Aktivitäten unterschiedlichster Geheimhaltungsstufen zu überwachen hat.

Sattler schaut sich im Raum um: Zimmerlinde in Hydrokultur, Jean Tinguelys Montreux-Plakat, Swissair-Kalender, Steinbergs »New-Yorker«-Plakat, Vorhang aus senkrechten Lamellen, mausgrauer Velours, sechs Breuer-Imitationen um einen Besprechungstisch, auf dessen Platte, Kellco, ecru, matt, ein gelbes Klarsichtmäppchen im kalten Licht dreier Niedervoltlämpchen glänzt.

Sattler kennt den Raum von vielen Sitzungen im kleineren Rahmen her. Daß er ihn sich jetzt so genau anschaut, liegt am Klarsichtmäppchen. Im Verlauf des bisherigen Gesprächs hatte Abt immer wieder unauffällig dessen gelbe Folie und das neutrale Deckblatt angehoben und auf die handschriftlichen Notizen darunter gelinst.

»Gewachsen fühlt man sich einer Aufgabe ja noch schnell, nicht wahr«, hatte er zum Beispiel bemerkt und gelinst.

Oder: »Eine Beförderung in diesem Rahmen ist immer

auch eine Frage der abteilungsinternen Akzeptanz.« Und gelinst.

Und: »Daß es eine ganze Reihe Mitbewerber gibt, dürfte Sie wohl kaum überraschen.« Und gelinst.

Und jetzt ist Sattler seit gut drei Minuten mit dem Mäppchen allein im Raum. Eine Armlänge entfernt liegt es vor ihm und übt seinen Zwang aus. Welchen Aufschluß geben die Schriftzeichen, die schwach durch das dünne Deckblatt schimmern, über Sattlers Selbsteinschätzung und Akzeptanz? Wer sind seine Mitbewerber? Und vor allem: Was hat sich Abt notiert, als Sattler seinen längeren, eingeübten Exkurs über die dringendsten Führungsaufgaben hielt, die seiner Meinung nach (und bei allem Respekt vor Schnells Leistungen – er hat ja andere Qualitäten) auf den neuen Bereichsleiter warten? Er hatte den Eindruck gehabt, daß er mit irgend etwas Abts Interesse geweckt hatte. Jedenfalls schien es, als wäre ihm beim Stichwort »italienische Verhältnisse« ein Licht aufgegangen. Er hatte sich rasch eine Notiz ins Mäppchen gemacht. Mit am Schluß etwas, das jetzt wie ein Ausrufezeichen durchschimmert.

Bald fünf Minuten, seit Abt hinausgeeilt ist. In der Zeit hätte Sattler zehnmal das Mäppchen heranziehen und die Notizen samt Abts spontanem Kommentar zu »italienische Verhältnisse« studieren können.

Sattler streckt vorsichtig die Hand aus, bis er die glatte Oberfläche des Klarsichtmäppchens spürt. Vielleicht ist es eine Falle. Vielleicht ist Abt nur hinausgegangen, um zu sehen, ob Sattler dem Mäppchen widerstehen kann. Er zieht die Hand zurück.

Eine weitere Minute verstreicht. Plötzlich spürt Sattler wieder das Mäppchen. Seine Hand hat sich selbständig gemacht und ihren Daumen zwischen Deck- und Notizblatt gezwängt. Wenn es ihm gelingt, das Deckblatt genug anzuheben, kann er die Schrift vielleicht von seinem Platz aus lesen und die Türklinke im Auge behalten.

Langsam hebt sich das neutrale Blatt unter der gelben Folie. Noch etwas und noch etwas, bis Sattler deutlich das Ausrufezeichen erkennen kann. Und dann das kopfstehende Wort »reservieren«. Es dauert eine Weile, bis er Abts Erleuchtung zu Sattlers Stichwort »italienische Verhältnisse« entziffern kann:

Für Lunch mit Sepp im ›Frascati‹ reservieren!

Stegers Rutsch

Rutismann sitzt dort drüben.«

»So.«

»Tu doch jetzt nicht so gelangweilt. Ich dachte, wegen Rutismann sind wir hier statt bei Fredi und Doris, wie jedes Jahr.«

»Jaja.«

»Also.«

»Also?«

»Also stehen wir auf und gehen an ihren Tisch und sagen guten Abend.«

»Verrückt geworden, wir können doch nicht einfach, wie stellst du dir das überhaupt vor!«

»Du hast gesagt: Rutismann feiert im ›Grand‹, das ist *die* Gelegenheit, ihm privat etwas näherzukommen. Das sei wichtig für dich.«

»Für uns. Meine Karriere ist auch für dich wichtig. Sei doch etwas kooperativ.«

»Bin ich ja. Ich steh jetzt auf, und wir gehen an Rutismanns Tisch.«

»Das geht nicht. Das muß sich zufällig ergeben.«

»Dafür geben wir ein Vermögen aus an diesem Katzentischchen, damit sich zufällig etwas ergibt?«

»Du machst mich nervös, Evi.«

»Du bist schon den ganzen Abend nervös. Die ganze Woche. Du bist nervös, seit du weißt, daß Rutismann im ›Grand‹ feiert.«

»Bitte, Evi.«

»Laß uns wenigstens tanzen.«

»Jetzt kommt dann gleich das Dessert.«

»Ich dachte, du kannst kein Sorbet essen wegen deinen Zahnhälsen?«

»Ich mag jetzt nicht tanzen.«

»Wir könnten auf dem Weg zur Tanzfläche an Rutismanns Tisch vorbeigehen. Wie zufällig.«

»Rutismanns Tisch liegt nicht am Weg zur Tanzfläche.«

»Dann eben nicht. Hier kommt das Sorbet. Guten Appetit. Iß vorsichtig.«

»Also gut, gehen wir tanzen.«

»Ich dachte, dein Dessert... ach so, Rutismann tanzt.«

»Tatsächlich?«

»Deshalb willst du doch plötzlich tanzen.«

»Evi!«

»Ich komm ja. Wie tanzt man zu ›Somewhere over the Rainbow‹?«

»Slow Fox. Oder English-Waltz. Zwei links, eins rechts. Was weiß ich, komm endlich.«

»Soll ich etwas Bestimmtes machen, wenn du dich herangetanzt hast?«

»Einfach ganz normal weitertanzen, den Rest überlaß mir.«

»Ich könnte sagen: ›Ist das nicht Herr Rutismann, von dem du immer so viel erzählst? Was für ein Zufall, feiern Sie auch jedes Jahr im ›Grand‹?«

»Nicht so laut, um Himmels willen, Evi.«

»Er kann uns nicht hören. Er sitzt bereits wieder.«

»Scheiße.«

»Gehen wir wieder an den Tisch zurück, oder tanzen wir das Stück fertig, oder bleiben wir einfach so hier stehen, mitten auf der Tanzfläche, wie zwei begossene Pudel?«

»An den Tisch zurück.«

»Wollen wir den Champagner öffnen, bevor er Zimmertemperatur hat?«

»Aber laß noch vier Glas übrig zum Anstoßen.«

»Vier?«

»Falls Rutismanns im Mitternachtstrubel hier vorbeikommen, möchte ich nicht vor einer leeren Flasche sitzen.«

»Du glaubst, um elf flüchtet der vor uns von der Tanzfläche und um Mitternacht sucht er uns an diesem Katzentischchen, um mit dir anzustoßen?«

»Wenn er nicht zu uns kommt, gehen wir zu ihm.«

»Das möchte ich sehen.«

Kurt?«

»Chchchch.«

»Kurt.«

»Fffff.«

»Kurt!«

»Hier!«

»Ich bin's. Evi. Deine Frau.«

»?«

»Gutes neues Jahr!«

»??«

»Hallo! Kurt! Sag doch etwas!«

»Is … e … e… Sch … bru …, Schwe …?«

»Ich kann dich nicht verstehn.«

»Ist es ein Schädelbruch, Schwester?«

»Es ist ein Kater, Kurt. Hier, trink das.«

»Was war das?«

»Alka-Seltzer mit Orangensaft und Eiercognac.«

»Uaaah!«

»Ein Tip von Stöff.«

»Kenne keinen Stöff.«

»Stöff Rutismann.«

»?«

»Dein Rutismann, wegen dem wir im ›Grand‹ Silve-

ster feiern mußten. Statt mit Fredi und Doris wie jedes
Jahr.«

»Hast du mit ihm gesprochen?«

»Ob ich mit ihm GESPROCHEN habe? Ich habe mit ihm
Silvester gefeiert.«

»Und ich?«

»Du irgendwie auch.«

»Was heißt irgendwie?«

»Wenn du nicht bei den ›Azzurri‹ warst.«

»Den ›Azzurri‹?«

»Die Band, Kurt: ›Ciao, ciao, Bambina!‹«

»Sag bloß, ich hab gesungen.«

»Du hast gesungen.«

»Mein Gott. Vor allen Leuten?«

»Am Mikrofon.«

»Ich kann doch gar nicht singen.«

»Das hat Stöff auch gesagt.«

»Als ich gesungen habe, war Rutismann da noch im
Saal?«

»Er hat mit mir getanzt.«

»Du hast mit Rutismann getanzt, und ich habe dazu
gesungen?«

»Eher umgekehrt.«

»O Gott.«

»Er ist ganz nett.«

»Er ist nicht nett. Er ist der Delegierte unseres Verwal-
tungsrats. Ist er an unseren Tisch gekommen?«

»Nein. Um eins hast du eine Flasche Roederer Cristal
unter den Arm genommen, und wir sind zu ihm gegangen.«

»O Gott, o Gott. Warum hast du mich nicht daran gehindert?«

»Weil es um deine Karriere ging, hast du gesagt.«

»Deswegen hättest du mich ja daran hindern sollen.«

»Es war aber lustig. Stöff hat viel gelacht.«

»Worüber?«

»Über Lean Production.«

»Wie kam er denn auf Lean Production?«

»Du hast darüber doziert.«

»O Gott, o Gott. Und er hat gelacht?«

»Er hat sich großartig amüsiert. Nur als du gesungen hast, hat er noch mehr gelacht.«

»O Gott, o Gott, o Gott. Und wann haben wir Duzis gemacht?«

»Wir. Du nicht. Du warst wieder auf der Bühne. ›Volare‹.«

»O Gott, o Gott, o Gott, o Gott. Und wann gab er uns den Tip mit dem Alka-Seltzer mit Orangensaft und Eiercognac?«

»Mir. Du warst auf der Bühne. ›Marina‹.«

»O Gott, o Gott, o Gott, o Gott, o Gott. Ich kann nie mehr ins Büro. Nie, nie, nie, nie mehr. Warum hast du mich nur geweckt?«

»Ich dachte, du atmest nicht mehr.«

»Schön wär's.«

Stegers Rutsch III

In der Nacht vom ersten auf den zweiten Januar leidet Kurt Steger unter Herzrhythmusstörungen. »Leg einmal deine Hand hier drauf«, sagt er zu Evi, »spürst du? Jetzt!«

»Ich spür nichts«, gähnt Evi.

»Eben. Das Herz setzt aus.«

»Das ist psychisch«, murmelt Evi und döst wieder ein.

Psychisch! denkt Steger und wartet auf den nächsten Aussetzer.

Um zehn Uhr am nächsten Tag weckt ihn Evi. »Stehst du nicht auf?«

»Ich bin krank«, haucht Steger.

Evi legt ihm die Hand auf die Stirn. »Das sind die Nachwirkungen von Silvester. Morgen bist du wieder fit.«

Ich will aber morgen nicht fit sein, denkt Steger und nickt tapfer.

Im Laufe des Tages verschlechtert sich sein Allgemeinzustand. Als ihm Evi am Abend eine leichte Mahlzeit ans Bett bringt, ist er entschlossen, am nächsten Morgen nicht ins Büro zu fahren.

»Damit machst du alles nur noch schlimmer. Dann denkt Stöff Rutismann, du hättest eine Alkoholvergiftung.«

»Sag nicht immer ›Stöff‹«, stöhnt Steger.

Aber am nächsten Morgen steht er betont leise schon um sechs Uhr auf. Als Evi in die Küche kommt, ist er bereits weg. Ein angebissener Zwieback und eine halbe Tasse Kamillentee stehen vorwurfsvoll neben dem Microwave.

Als Steger in der Firma ankommt, ist es noch dunkel. Er geht am verlassenen Empfang vorbei und fährt in der fünf Tage abgestandenen Luft des Lifts in sein Stockwerk. Kein Mensch. Er geht in sein Büro, setzt sich an den Schreibtisch und beginnt, seine Agenda für das neue Jahr einzurichten.

Aber schon nach kurzer Zeit merkt er, daß er dieser Beschäftigung nicht gewachsen ist. Das Übertragen von Daten aus einer vielversprechenden Vergangenheit in eine ungewisse Zukunft deprimiert ihn. Und als eine Stunde später Zäch hereinpoltert und fragt: »Gut gerutscht?«, findet er Steger tief in Gedanken am Fenster stehend. »Ach, durchwachsen, danke«, antwortet er.

Den ganzen Tag verwendet Steger viel Energie darauf, Rutismann aus dem Weg zu gehen. Denn obwohl es zwischen Rutismann und Steger hierarchisch keinerlei natürliche Berührungspunkte gibt und obwohl Rutismanns Büro im Achten von Gebäude A und Stegers im Vierten von Gebäude C liegt, kommt es immer wieder vor, daß Rutismann unangemeldet im C auftaucht. Auch ohne einen so triftigen Grund wie Stegers Blackout an Silvester.

Steger ändert seine Gewohnheiten. Er kommt und geht zu überraschenden Zeiten, für den Fall, daß Rutismann tatsächlich ein Auge auf ihn hat (eine Hoffnung, die schließlich zu seinem verhängnisvollen Entschluß geführt hatte, Silvester zufällig am gleichen Ort wie Rutismann zu feiern).

Den ganzen Rest der Woche gelingt es Steger, eine Begegnung mit Rutismann zu vermeiden. In der folgenden Woche wird er bewußt etwas nachlässiger in seinen Vorsichtsmaßnahmen, denn die Zeit hat die Silvesterwunden schon etwas geheilt. Mitte der Woche erwägt er bereits die Möglichkeit, daß sein Silvesterauftritt gar nicht so daneben, vielleicht sogar originell gewesen war. Am Freitag setzt er sich bewußt zweimal der Möglichkeit einer Konfrontation aus, indem er ohne Anlaß mehrere Fahrten im Lift von Gebäude A unternimmt.

Am Montag, als Rutismann von seinen verlängerten Weihnachtsferien zurück ist, nickt ihm im Lift einer verschwörerisch zu.

Rutismann nickt zurück. Kenn ich den, oder arbeitet der hier?

Leimgruber und die Macht

Wenn Leimgruber ganz ehrlich ist, ist es ihm nicht nur unangenehm, wie alle still werden, wenn er auch nur Anstalten macht, sich äußern zu wollen. Wie der, der gerade spricht, den Faden verliert, wenn er auch nur Anstalten zu Anstalten macht, etwas einwerfen zu wollen. Etwas tiefer Luft holt oder die Hand Richtung Brille führt, um diese eventuell abzunehmen und den Vortragenden eventuell ins Auge zu fassen, eventuell seine »No nonsense«-Miene aufzusetzen.

Auch daß die beiden Frauen am Empfang sofort ihr Gespräch über Bachblüten unterbrechen, wenn er am Glasportal erscheint, ihm mit ihrem bezauberndsten Lächeln zunicken und aufgeregt zu telefonieren beginnen, sobald sie sich außerhalb seines Blickfelds wähnen, macht ihm nichts aus.

Auch darunter, daß dann Frau Schlüter seinen English Breakfast Tea (ein Assugrin, a cloud of milk) schon bereithält, wenn er ins Büro stürmt, leidet er eigentlich kaum.

Und auch mit den subtileren Dingen kommt er ganz gut zurecht: der Klaglosigkeit, mit der geduldet wird, daß er *Forbes Magazine* erst nach drei Wochen und ungelesen in Zirkulation gibt. Der Herzlichkeit, mit der über einen

Witz gelacht wird, den er absichtlich zum vierten, fünften Mal erzählt. Der Widerspruchslosigkeit, mit der auch der hanebüchenste Blödsinn akzeptiert wird, den er probehalber von sich gibt.

Wenn Leimgruber ganz ehrlich ist, muß er zugeben, daß er ganz gut leben kann mit der Macht. Auch wenn das nicht immer so war.

Das erste Mal, als ihn einer, der ihn jahrelang ignoriert hatte, plötzlich nett grüßte, nur weil er als PROKURIST im Gespräch war, hatte ihn das schon etwas irritiert. Er fand damals (wie lange ist das her?), es gehe schließlich um die Person, nicht um den Titel. Er als Mensch habe sich ja dadurch nicht verändert, daß er eventuell bald die Prokura erhielt. Was natürlich kompletter Unsinn war. Nichts sollte ihn mehr verändern als die Sicht, die die anderen von ihm hatten. Und nichts sollte diese so nachhaltig prägen wie immer wieder die jeweils nächste Stufe seiner Karriere.

So gewöhnte sich Leimgruber schnell daran, daß in einem Restaurant zwei leise miteinander reden und dabei in seine Richtung blicken und freundlich nicken, wenn er sie dabei ertappt. Er lernte, mit seiner erst abteilungsinternen, dann firmeninternen, dann brancheninternen und heute beinahe wirtschaftsmedieninternen Prominenz zu leben.

Heute stört es ihn praktisch nicht mehr, wenn er in einem Restaurant einen Tisch bekommt, obwohl eigentlich keiner frei ist. Und wie mit der Prominenz hält er es auch mit der Macht: er spielt sie nicht aus. Es genügt ihm, daß er sie besitzt.

Selbstverständlich gewinnt er an natürlicher Autorität

in einer Runde, die aus Leuten besteht, deren Büroschlüssel morgen nicht mehr ins Schloß passen, wenn er es denn so will. Natürlich gewinnen die Argumente an Überzeugungskraft, wenn der, der sie vorträgt, dem, der ihnen widersprechen könnte, den Bonus streichen kann.

Aber Leimgruber ist nicht machtbesessen. Für ihn ist Macht nichts anderes als ein prima Führungsinstrument, wie er es einmal in einer verständnisvollen Runde formuliert hat.

Obwohl: So mit einem einzigen Satz eine ganze Diversifikation eines Vorgängers aus den achtziger Jahren aus der Welt schaffen oder einen theoretisch an die Luft setzen zu können, einfach nur, weil er Krawattennadeln trägt, ist irgendwie schon ein geiles Gefühl. Wenn er ganz ehrlich ist.

Aber wenn Leimgruber ganz ehrlich wäre, hätte er es wohl kaum so weit gebracht.

Flexible response

Ach, Stutzer«, sagt Bauer, als er die Sitzung beendet, »haben Sie anschließend noch einen Moment?«

Boing!

Teuscher und Ulmann wechseln einen Blick.

Gfeller blickt von seiner Agenda auf.

Muggli zieht die Brauen hoch.

Und Stutzer?

Stutzer reagiert nicht schlecht, finden Teuscher und Ulmann später: Er schaut auf die Uhr! Als ob er überprüfen wollte, ob er einen Moment entbehren könnte. Als ob er die Wahl hätte. Als ob er sagen könnte: »Aber wirklich nur einen Moment.« Oder: »Tut mir leid, geht es auch ein andermal?« Als ob er nicht wüßte, was es geschlagen hat.

Gfeller hingegen findet auf die Uhr schauen keine gute Reaktion. Wirkt eher verlegen als cool. Er persönlich hätte es besser gefunden, einfach zu nicken. Selbst auf die Gefahr hin, daß es wirkt, als hätte er es erwartet. Er hätte ja nicht ergeben nicken müssen. Er hätte das Nicken durchaus sachlich halten können. Ein Nicken, das nicht mehr ausdrückt als: Ja, ich habe anschließend noch einen Moment. Basta. Wäre irgendwie würdiger gewesen.

Muggli zerbricht sich nicht den Kopf über Stutzers Reaktion. Er ist einfach nur froh, daß Bauer nicht gesagt hat: »Ach, Muggli, haben Sie anschließend noch einen Moment?« Was heißt froh? Euphorisch ist er. Natürlich mußte es nach gesundem Menschenverstand Stutzer und nicht ihn treffen. Aber Muggli hat schon lange aufgehört, im Zusammenhang mit Bauer mit gesundem Menschenverstand zu rechnen. Um so besser, wenn er sich getäuscht hat. Jipiii!

Bauer selber ärgert sich über Stutzers Blick auf die Uhr. Nicht wegen der Frechheit, die es darstellt. Sondern wegen der Arglosigkeit, die er damit signalisiert. Stutzer tut so, als ob es tatsächlich um nichts anderes ginge als um die Frage, ob er anschließend noch einen Moment Zeit habe. Er tut so, als ob er nicht wüßte, daß er ihn nur deshalb noch einen Moment dabehält, um ihn nicht vor versammeltem Publikum zu feuern. Stutzers Blick auf die Uhr bedeutet, daß er als einziger im Laden die Zeichen nicht erkannt haben will. Er bedeutet, daß er als einziger seine Kündigung nicht als bloße Formsache betrachtet, sondern fest entschlossen ist, aus allen Wolken zu fallen.

Sie packen ihre Sachen zusammen und stehen auf. Alle außer Stutzer und Bauer, der aus den Augenwinkeln beobachtet, wie dieser jetzt in der Agenda blättert, in einem Monat lange nach seiner Kündigungsfrist. Bauer ist der Ansicht, daß einer, den man schon nicht brauchen kann, wenigstens genug Anstand haben sollte, einem bei der Kündigung etwas entgegenzukommen. Aber Stutzer gehört nicht zu denen. Stutzer gehört zu denen, die es einem so schwer wie möglich machen. Er wird nichts tun, um Bauer den Einstieg zu erleichtern. Er wird ihn blauäugig anstarren und nach den richtigen Worten suchen lassen. Er

wird dasitzen wie ein Rehkitz vor dem Mähdrescher, hilf-
los, wehrlos und schuldlos.

Bauer und Stutzer warten schweigend, bis sie alleine
sind.

Teuscher, Ulmann und Gfeller gehen mit pietätvoller
Gemessenheit aus dem Raum. Nur Muggli kann eine gewisse Beschwingtheit nicht unterdrücken. Er federt durch
die Tür, streckt, bevor er sie schließt, den Kopf noch einmal herein und schickt ein aufmunterndes Lächeln in
Richtung Bauer.

Der würde sich bestimmt nicht so anstellen bei seiner
Kündigung, denkt Bauer.

Und ändert spontan seine Dispositionen.

Zwischenfall auf der Bahnhofstraße

Zürcher Bahnhofstraße, Nähe Paradeplatz, Lunch hour. Berchtold ist mit seiner *Financial Times* unterwegs zu seinem Klubsandwich. Milder Tag, viel Business auf den Beinen.

Da kommt ihm aus etwa vierzig Meter Entfernung Eckert entgegen. In Begleitung von zwei unidentifizierten Herren. Hat wohl gerade etwas Lustiges gesagt, die beiden lachen.

Soviel zur Ausgangssituation.

Berchtold verändert weder Tempo noch Richtung. Geht einfach weiter. Wird sie schätzungsweise mit zwei Meter Abstand kreuzen. Soll er stehenbleiben und ein paar Worte wechseln? »Auch für einen kurzen Happen losgeeist?« Oder: »Essen muß der Mensch ja.«

Besser nicht. Vielleicht sind die beiden bei ihm Welsche. Und Eckert muß er ja nicht unbedingt sein Französischproblem auf die Nase binden. »Wußtet ihr, daß Berchtold kein Wort Französisch spricht?« – »Was? In seiner Position?«

Besser, er geht zielstrebig weiter und grüßt kurz hinüber. »En Guete!« Einer mit einer Verabredung zum Essen. Arbeitslunch.

Berchtold beschleunigt seinen Schritt also. Einziger Haken: die *Financial Times.* Einer, der ohne Mappe mit der FT unter dem Arm zur Lunch hour die Bahnhofstraße entlanggeht, ist nicht auf dem Weg zu einem Arbeitslunch. So einer hat Zeit. So einem könnte man es als Unhöflichkeit auslegen, wenn er sich nicht einen Augenblick nimmt, mit einem Branchenkollegen auf dem Weg zum Lunch an einem milden Tag zwei, drei Worte zu wechseln. Es kann Berchtold zwar völlig egal sein, was Eckert von ihm denkt, aber warum soll er ihn vor den Kopf stoßen? Er hat ihm nichts zuleide getan. Und vielleicht kann er Eckert damit, daß er ihn nicht nur flüchtig im Vorbeigehen grüßt, einen Gefallen tun. Vielleicht beeindruckt es seine beiden Begleiter, daß er von einem wie Berchtold so respektvoll behandelt wird. Vielleicht sind es potentielle Kunden von Eckert. Oder wichtige Vorgesetzte. Oder Journalisten. Oder sonst Leute, die ihm schaden können.

Berchtold verlangsamt seinen Schritt wieder. Er wird es drauf ankommen lassen. Er wird grüßen und aufgrund von Eckerts Reaktion situativ entscheiden. Er wird durch seinen Gruß signalisieren, daß er offen ist für einen kurzen Plausch, aber auch Verständnis dafür hätte, wenn Eckert keine Zeit hat.

Noch fünf Meter. Berchtold nimmt die FT jetzt unter den linken Arm und schaut in Eckerts Richtung. Dieser ist in das Gespräch mit den zwei Unidentifizierten vertieft, schaut jetzt aber kurz in Berchtolds Richtung.

Berchtold hebt die Rechte und lächelt. Aber Eckert schaut an ihm vorbei und wendet sich dann wieder den beiden zu.

Jetzt sind sie fast auf gleicher Höhe. Wieder scheint

Eckert zu ihm zu schauen. Berchtold hebt die Hand. »So, auch für einen kurzen Happen losgeeist?«

Aber Eckert ist so tief in sein Gespräch vertieft, daß er Berchtolds Gruß übersieht. Als einziger der ganzen Bahnhofstraße. Alle andern sehen genau, daß Berchtolds Gruß nicht erwidert wird. Auf alle andern wirkt es, wie wenn er sich zweimal erfolglos an einen rangeschmissen hätte. Einer, der es nötig hat, vorzutäuschen, daß er Leute kennt.

Berchtold läßt seine erhobene Hand auf den Kopf sinken und streicht sich die Haare nach hinten. Das tut er ein paarmal, damit es wirkt, als wäre es eine alte Angewohnheit. Das Lächeln läßt er noch ein wenig stehen, als würde er an etwas Lustiges denken.

So geht er durch die Bahnhofstraße und übersieht den Gruß von Hagmann.

Küderlis externe Kommunikation

Willi Küderli ist nicht einer, auf den sich alle Augen richten, wenn er einen Raum betritt, im Gegenteil. Es kann Willi Küderli passieren, daß er einen Raum betritt, sich eine Weile darin aufhält und ihn wieder verläßt, ohne daß ein einziger Mensch etwas davon bemerkt hätte. Das war schon immer so. In der Schule konnte Küderli sich melden, soviel er wollte, die Lehrer übersahen ihn. Viele seiner Mitschüler hätten viel um Küderlis Unauffälligkeit gegeben, aber Küderli litt darunter; er wußte die Antworten.

Küderli ist nicht unansehnlich. Er hat auch keinen körperlichen Defekt. Er ist auch nicht besonders klein oder dünn. Er ist einfach von einer an Unsichtbarkeit grenzenden Unscheinbarkeit.

Wenn Küderli hinter jemandem durch eine Schwingtür geht, muß er darauf gefaßt sein, daß sie ihm ins Gesicht fliegt, weil der vor ihm ihn nicht bemerkt hat. Wenn er der erste in einem Sitzungszimmer ist, fragt ihn der zweite: »Warum ist noch kein Mensch hier?« Und wie oft er auch seinen Namen (einen Namen wie Küderli!) sagt, immer heißt es: »Herr ehm?«

Für die Karriere ist das natürlich nicht gut. Küderli ist es immer wieder passiert, daß ihm weniger qualifizierte, weniger talentierte und weniger erfahrene Kollegen vorgezogen wurden, nur weil sie denen, die die Beförderung machten, präsent waren.

Küderli hat vieles versucht, Fliege statt Krawatte, Dissertation, Larry-King-Hosenträger, Designerbrille, »Egoïste«, Pfeife, 1952er Buick, Weinsammlung, Freundin aus dem Senegal, aber immer nahmen die Accessoires überhand und die Person Willi Küderli verblaßte noch mehr.

Erst das Handy brachte etwas Linderung.

Küderli hatte kurz gezögert mit dessen Anschaffung. Auch er weiß, daß es in richtigen Managementkreisen als etwas möchtegern gilt. Als das Mittel der Entbehrlichen, ihre Unentbehrlichkeit zu demonstrieren.

Es ist Küderli auch klar, daß das Handy in Individualistenkreisen belächelt wird als das Beweisstück dafür, daß man Teil eines Ganzen ist, das jederzeit und überall auf einen zurückgreifen kann. Ein Instrument der Repression, an dem man die Opfer erkennt, nicht die Täter.

Aber für Küderli heben alle Imagenachteile des Handys nicht dessen großen Nutzen als Kommunikationsmittel auf. Nicht zwischen denen, mit denen er telefoniert, sondern zwischen denen, die ihm dabei zuhören.

Küderli hat entdeckt, daß er die Beachtung, Anerkennung und Autorität, die er sich in seinem engsten beruflichen Umfeld erkämpft hat, mit dem Handy nach außen tragen kann. Er sitzt zum Beispiel in einem vollbesetzten Zugabteil (etwas, das er seit der Anschaffung des Handys immer öfter tut). Sein Visavis hat die Beine übereinandergeschlagen, wie wenn Küderlis Sitz leer wäre, und der neben ihm will gerade seinen Aktenkoffer auf Küderlis

Schoß abstellen, da piepst es in seinem Jackett. Alles horcht auf.

»Küderli«, sagt Küderli laut und deutlich, und ist damit bereits einen Teil seiner Anonymität los. Und bevor sich das Abteil mit spöttischen Blickwechseln abwendet und Küderli wieder zu Luft werden läßt, plaziert er ein paar präzise Anweisungen, die besagen: Hier spricht ein Mann, dessen Wort etwas gilt. Er läßt ein paar Namen fallen, die beweisen: Hier sitzt einer unter uns, der sein Licht unter den Scheffel stellt. Er nennt ein paar Zahlen, die bedeuten: Hier haben wir einen ignoriert, der bestimmt nicht auf den öffentlichen Verkehr angewiesen wäre.

Bitte rufen Sie Willi Küderli an.

Ein paar Ostergedanken

Schöne Ostern gehabt?«

»Doch, sehr schön, danke, und Sie?«

»Auch sehr schön, doch.«

»Weggefahren?«

»Um Himmels willen, nein, ganz relaxed zu Hause. Und Sie?«

»Wir auch, bin doch nicht wahnsinnig. Streß kann ich auch hier haben.«

»Nicht wahr? Haben Sie die Bilder gesehen? Was sind das bloß für Menschen, die sich das antun?«

»Die haben keinen Streß im Job.«

»Glauben Sie?«

»Schauen Sie uns an. Müssen wir an unseren spärlichen paar freien Tagen mit quengelnden Kindern im Schritttempo durch den Gotthard fahren?«

»Oder sechs Stunden zwischen Besoffenen aus Birmingham und Leverkusen in der Abflughalle von Palma de Mallorca die Kinder mit kalten Pommes frites und warmen Glaces bei Laune halten?«

»Ich sage Ihnen: Die Leute haben beruflich keinen Streß, sonst würden die zu Hause bleiben und Eier anmalen.«

»Mein Jüngster hat ein Ei schwarz angemalt. Bis wir das

gefunden hatten im Garten! Nicht dumm. Schwarz, und ist erst vier.«

»Unsere Kleine hat geweint, als sie den Schoggihasen gegessen hat. ›Warum weinst du?‹ habe ich sie gefragt. ›Arms Häsli‹, hat sie geantwortet. Aber gegessen hat sie ihn.«

»An solchen Tagen merkt man erst, wie schlecht man seine eigenen Kinder kennt.«

»Man ist eben viel zuwenig zu Hause.«

»Und kaum schaut man sich um, sind sie erwachsen.«

»Dabei ist das jetzt die wichtigste Zeit, zwischen vier und zwölf.«

»Und die opfert man dem Laden.«

»Blöd, wie man ist.«

»Ist halt auch eine wichtige Zeit, zwischen 30 und 40, beruflich.«

»Wenn du's dann nicht packst, vergiß es.«

»Besonders jetzt.«

»Da kann es eben auch einmal etwas später werden, da kann man nicht immer mit der Stoppuhr im Büro sitzen.«

»Ich komme auf gut sechzig Stunden. Sie auch?«

»Wenn's wenig ist.«

»Ich meine, im Schnitt.«

»Im Schnitt sowieso.«

»Darunter leidet natürlich die Familie.«

»Ganz klar.«

»Ich versuche, wenigstens jeden zweiten Abend daheim zu sein, bevor sie im Bett sind.«

»Bei mir ist das schwierig. Vier und sechs. Aber wenigstens die Wochenenden. Also die Sonntage. Aber das reicht natürlich nicht.«

»Aber man tut es ja für die Familie. Auch und gerade.«

»Das ist ja die Ironie. Ihr zuliebe vernachlässigt man sie.«

»Manchmal fragt man sich.«

»Besonders nach den Ostertagen zu Hause.«

»Wenn man so mit der Frau und den Kindern am Küchentisch sitzt und mit Sternchenfaden Kräutlein und Zwiebelschalen um Eier wickelt, fragt man sich schon, ob es nicht Wichtigeres gibt im Leben als die Karriere.«

»Ach, Sie machen die auch mit den Kräutlein? Mir fehlt die Geduld, aber meine Frau macht richtige Kunstwerke.«

»An solchen Tagen habe ich manchmal Lust, den Bettel hinzuschmeißen und ein normales Leben zu führen. Als irgendeine Nummer irgendwo in einem Betrieb mit geregelten Arbeitszeiten, einem bescheidenen Gehalt, aber ohne Streß.«

»Dann könnte man auch einmal ein paar Tage weg über Ostern mit der Familie.«

»Nach Italien oder Mallorca!«

»Es ist schon ein Teufelskreis.«

Human-resource-Management

Das erste Treffen findet in der ›Tiffany Bar‹ statt. Edwin K. Semper, der Headhunter, hat es arrangiert. »Die Tiff-Bar«, hat er gesagt, »ist die ideale Location für inoffizielle Meetings. Die richtige Atmosphäre, und kein Mensch kennt sie.«

Wunderli findet sich also in einer Bar voller Tiffany-Lampen-Imitate wieder und voller melierter langhaariger Männer mit goldenen Rolex-Uhren, auch nicht gerade Originalen.

Den Mann, den er treffen soll, kennt er von einem Foto aus dessen eindrücklichem Curriculum. Er ist Mitte Vierzig, blond, glattrasiert und gutaussehend, ohne ein Beau zu sein, etwas, worauf Wunderli großen Wert legt, denn er ist selber auch kein Beau, schwach ausgedrückt.

Er ist auch nicht besonders gut darin, dreidimensionale Leute aufgrund eines zweidimensionalen Fotos zu identifizieren. Aber das ist auch gar nicht nötig: Kaum sitzt er in seiner Nische, geht die Tür auf, und ein mittelgroßer, passabel aussehender blonder Mittvierziger kommt geradewegs auf ihn zu. »Ich hoffe, ich bin nicht zu spät, Herr Wunderli.«

»Dann müssen Sie Herr Weinmann sein«, sagt Wunderli erleichtert und steht auf. Das ist er jetzt also, die Lösung.

Der Mann, der bei Hubag den Verkauf reorganisiert, bei Sibco das Sortiment gestrafft und bei Schäufele & Stutz den Gesamtbereich »Service und Beratung« völlig umgekrempelt hat.

Sie verstehen sich auf Anhieb. Weinmann hat auch dreimal am Engadiner Skimarathon teilgenommen, und Wunderli geht auch jedes Jahr nach Genf zum Autosalon. So redet man lustigerweise lange über Privates, bevor man endlich zum Geschäftlichen kommt. Immer ein gutes Zeichen bei einem Vorstellungsgespräch.

Auch Weinmanns Begründung, warum er unter Umständen in Erwägung ziehen könnte, Schäufele & Stutz zu verlassen (immer ein heikler Punkt, weil er ja die Loyalität betrifft), ist sehr befriedigend: Der Gesamtbereich »Service und Beratung« ist umgekrempelt und läuft. Weinmann ist hierarchisch am Anschlag und braucht einen neuen Challenge. Den kann ihm Wunderli bieten und sagt ihm das auch.

Beide machen eine Ausnahme und trinken schon jetzt etwas Alkoholisches: beide ein Bier, eine weitere lustige Gemeinsamkeit.

Ein Mißton entsteht erst, als Weinmann seine Gehalts- und Organigrammvorstellungen präzisiert.

Der Mann will die Nummer zwei werden. Darunter tut er es nicht.

Wunderli hätte eigentlich nichts dagegen, Weinmann zur Nummer zwei zu machen, wenn er nicht schon eine hätte: Bodenmann.

Bodenmann ist seit sechzehn Jahren dabei und rechnet sich – und daran ist Wunderli nicht ganz unschuldig –

Chancen auf dessen Nachfolge aus. Er ist auch kein schlechter Mann, vielleicht etwas konservativ in seiner Führungsauffassung, aber dadurch selber gut zu führen. Für Wunderli galt er bisher immer als gesetzt. Weinmann hatte er, bei aller Sympathie, höchstens als Nummer drei gesehen.

»War trotzdem nett, Sie persönlich kennengelernt zu haben«, sagt Weinmann, als ihm Wunderli diesen Sachverhalt darlegt.

So schnell gibt Wunderli nicht auf. »Könnten Sie sich auch etwas Inoffizielles vorstellen?«

»Zum Beispiel?« fragt Weinmann.

»Sie sind offiziell die Nummer drei und verdienen weniger als Bodenmann. Aber wir beide wissen: Sie sind die Zwei, und die Differenz bezahle ich über die Holding.«

»Das, wofür Sie mich brauchen, schaff ich nur bei klaren Verhältnissen.«

Der Mann hat natürlich recht. »Okay, ich red mit Bodenmann«, sagt Wunderli schließlich.

Am nächsten Tag im Büro fragt ihn Bodenmann als erstes: »Und, hat er angebissen?«

Genaugenommen war es Bodenmann gewesen, der Wunderli gedrängt hatte, im Verkauf und Marketing etwas Entscheidendes zu unternehmen. Und sei es etwas Personelles. Bodenmann hatte auch den Kontakt mit Edwin K. Semper geknüpft, dem Headhunter. Und er war es auch gewesen, der gesagt hatte: »Den müssen Sie reinholen«, als der Name Weinmann fiel, dessen Reputation er kannte.

So ist er jetzt natürlich gespannt, was Wunderli über den Verlauf des ersten Gesprächs zu berichten hat.

»Jedenfalls wirkt er interessiert«, sagt Wunderli, als er hinter seinem Schreibtisch Platz nimmt.

»Ach, das ist ja erfreulich, erzähl«, strahlt Bodenmann. Nummer eins und Nummer zwei duzen sich seit fünf Jahren.

»Da gibt's nicht viel zu erzählen. Der Mann scheint kompetent, und die Chemie stimmt.«

»Seid ihr konkret geworden?«

»Das konkreteste Ergebnis ist: Wir treffen uns in drei Tagen wieder.«

Bodenmann schüttelt ungläubig den Kopf. Weinmann bei Schäufele & Stutz ausspannen, das gibt zu schreiben in der Fachpresse. »Interessiert zu unseren Bedingungen?« fragt er noch.

Das ist der Moment. »Nun, der Mann weiß schon, was er will.« Guter Einstieg.

»Das ist normal. Wir haben ja auch etwas Verhandlungsspielraum. Wo weicht ihr ab?«

Er will, daß ich ihn dir vor die Nase setze, denkt Wunderli. Sagen tut er: »Gehalts- und Organigrammpunkte.«

»Breaking Points oder lösbar?«

Wunderli überlegt. Pack die Gelegenheit, denkt er. »Lösbar.«

»Wo liegt er?«

»Vierzig Prozent drüber.«

»Vierzig Prozent!« Bodenmann rechnet. »Dann läge er ja über mir.«

Jetzt! Kostbare Sekunden verstreichen. Dann sagt er bloß: »Hab ich auch gesagt.«

Bei Wunderlis nächstem Treffen mit Weinmann, wieder in der ›Tiffany Bar‹, machen sie Nägel mit Köpfen. Beide haben ein Papier vorbereitet, auf dem sie ihre Punkte abhaken. Über die meisten einigen sie sich rasch: Ferien, Firmenwagen, Beletage. Einzig in der Gehaltsfrage besteht eine kleine Diskrepanz, die sie aber mit Fringe Benefits und Bonus überwinden.

Wunderli bestellt für beide ein Cüpli, und sie verabreden sich für die Vertragsunterzeichnung bei Edwin K. Semper.

Beim Verlassen der Bar fragt Weinmann: »Wie hat es Bodenmann aufgenommen?«

»Er freut sich auf die Zusammenarbeit.«

»Und?« fragt Bodenmann, als Wunderli zurück ist.

»Geritzt«, lächelt Wunderli.

Bodenmann geht auf ihn zu und schüttelt ihm überschwenglich die Hand: »Gratuliere. Und die Differenzen?«

»Da mußte ich etwas entgegenkommen.«

Als Bodenmann die (etwas geschönten) Zahlen hört, die ihm Wunderli nennt, ist seine Stimmung etwas gedämpfter. Der Mann kommt gefährlich nahe an ihn heran. Aber, tröstet er sich, damit habe ich für die nächste Lohnrunde etwas in der Hand.

Wunderli ist sehr zufrieden mit sich. Nur manchmal fragt er sich, ob sich Bodenmann über die hierarchischen Konsequenzen der Neueinstellung ganz im klaren ist. Der Mann hat nämlich eine Tendenz, unangenehme Fakten schlicht nicht zur Kenntnis zu nehmen.

Um sicherzugehen, informiert Wunderli nach Ablauf der Sperrfrist die Fachpresse persönlich.

»Weinmann von Schäufele & Stutz die neue Nummer zwei bei Wunderli«, liest Bodenmann ein paar Tage später.

Business Class im Restaurant

Reservieren Sie mir im ›Ponte‹, aber im vorderen Teil«, weist Grashof Frau Frevel an. »Zwei Personen.«

»Ob es auch im hinteren recht sei«, fragt Frau Frevel fünf Minuten später zurück.

»Haben Sie gesagt für Grashof?«

»Ja. Sie sagen, sie könnten Ihnen den runden Tisch im hinteren Teil geben, der wäre eigentlich für vier.«

»Sagen Sie, wenn das ›Ponte‹ für Herrn Grashof keinen anständigen Tisch mehr hat, versuche er es in der ›Rose‹.«

Grashof denkt nicht daran, sich in den hinteren Teil des ›Ponte‹ verbannen zu lassen, wie ein Tourist. Nicht nach allem, was er durchgemacht hat, bis Schenk seine Einladung zum Mittagessen annahm. Er kennt Unternehmensberater (Nyffenegger!), die das ›Tour d'Argent‹ mieten würden für ein Mittagessen mit Alois Schenk.

Frau Frevel meldet sich wieder. »Sie tun ihr Möglichstes.«

»Na also«, brummt Grashof und vertieft sich wieder ins Dossier »Schenk«. Er hat sich vorgenommen, zweigleisig zu fahren: mit profunden Kenntnissen über Schenks Unternehmen aufhorchen lassen und parallel dazu mit kreditschädigenden Enthüllungen über die Konkurrenz

(Nyffenegger!) Boden gewinnen. Eine Taktik, die im hinteren, dichtgedrängten Teil des ›Ponte‹ absolut undenkbar wäre.

Punkt halb eins betritt Grashof mit Schenk das ›Ponte‹. Es herrscht viel Betrieb, und ihr Eintreten wird nicht gleich bemerkt. Die kurze Zeit, die sie unbehaglich zwischen den Tischen stehen, reicht aus, um von den Gästen gewogen und für zu leicht befunden zu werden.

Der Chef de service ist neu. »Wie war der Name?« fragt er statt: »Wie geht's, Herr Grashof«, wie sonst Mario.

»Grashof«, knurrt Grashof und wirft Schenk einen belustigten Blick zu, der besagt: Das kann ja heiter werden.

Es wird aber nicht heiter. Als der Chef sagt: »Sie sind im hinteren Teil, Herr Grashof, wenn Sie mir bitte folgen wollen«, verfinstert sich Grashofs Miene. »Man hat mir einen Tisch im vorderen Teil zugesagt. Verbindlich.«

Der Chef de service konsultiert noch einmal sein Buch. »›Wenn möglich im vorderen Teil‹, steht hier.«

»Na also«, schnappt Grashof.

»War leider nicht möglich«, bedauert der Chef de service, »wir haben aber einen sehr schönen Tisch für Sie. Den runden. Eigentlich für vier.«

Ein paar Augenpaare richten sich jetzt wieder auf die Neuankömmlinge, die offenbar nicht einmal wissen, daß man hier reservieren muß. Aber Grashof ist das jetzt egal. Er läßt seinen Blick wie ein Feldherr über den vorderen Teil des ›Ponte‹ schweifen. »Und dort?« fragt er triumphierend.

»Sie meinen den Sechsertisch?«

»Ich meine den freien Tisch.«

»Ist reserviert.« Der Chef de service zeigt in sein Buch. »Blumer, vier Personen, 12 Uhr 30«, steht dort.

»Dann geben Sie denen den runden Vierertisch«, bestimmt Grashof und schiebt seinen inzwischen etwas betretenen potentiellen Kunden Alois Schenk durchs Lokal Richtung Sechsertisch.

Der Chef de service tritt den Rückzug an. »Aber alleine kann ich Ihnen den Tisch nicht geben.« Er plaziert sie am linken Ende und läßt ein Blumenarrangement auf die Tischmitte stellen als notdürftige Abtrennung zur andern Hälfte.

Grashof beginnt Schenk mit der Sachkenntnis des Habitués die Speisekarte zu erklären. Dann bestellt er, lehnt sich zurück und will gerade anfangen, seine Netze auszuwerfen – ein bißchen Know-how, ein bißchen Intrige –, als jenseits des Arrangements ein Herr Platz nimmt, den Kopf an den Gladiolen vorbeistreckt und »Guten Appetit« wünscht. (Nyffenegger!)

Dienen muß der Manager

Maienfelder ist ein Manager der alten Schule. Er ist sich bewußt, daß ein Unternehmen eine soziale Verantwortung trägt. Er sieht die Menschen vor sich, deren Schicksal untrennbar verbunden ist mit dem Gedeihen der Unternehmung, und kann sich in sie hineinversetzen.

Zum Beispiel in Frau Lang-Schuppli, 62, Witwe, deren Anwesen »Ried«, 18 000 m², alter Baumbestand, 16 Zimmer, Uferlage, ein unglaublicher Klotz am Bein ist. Kaum ist die Fassade gemacht, ist auch schon das Dach fällig, kaum ist das Mahagoniboot aus der Reederei zurück, faulen die Pfähle des Bootshauses. Ein ständiger Kampf.

Oder er versetzt sich zum Beispiel in Marc Benninger, 48, geschieden. Wer weiß schon, was Pferde kosten! Kaum trennt er sich von »Who knows«, 7, verliebt er sich in die dreijährige Stute »Ma Belle«, kaum verdient »Blizzard« in Longchamps ein paar Francs, muß »Blue Boy« sich einer dreistündigen Operation mit ungewissem Ausgang unterziehen. Das sind Fixkosten, von denen sich nur die wenigsten eine Vorstellung machen.

Oder ein ganz anderes Beispiel: Forster, Hanspeter, 58, verheiratet, drei Kinder, alle noch in Ausbildung. Das jüngste, Aimée, 32, studiert in Übersee an der UCLA Drama und Töpfern, das älteste, Jack, 39, will erst einmal die Welt sehen, bevor es sich entscheidet, das mittlere, Luc, 35, ist seit Jahren in psychiatrischer Behandlung als Folge einer unüberlegten Geschlechtsumwandlung. Alle drei sind noch hundertprozentig auf Vaters finanzielle Zuwendung angewiesen, bei allen drei reden wir von namhaften Beträgen, besonders bei Jack, der seinerseits ebenfalls schon in drei Fällen unterhaltspflichtig ist. Und damit ist noch kein Wort gesagt über ôsÉ, Erlenbach, St. Moritz, Lugano, die Boutique-Kette seiner Frau, deren Jahresverlust Hanspeter Forster seit zehn Jahren im Sinne einer Starthilfe jeweils auszugleichen pflegt. Unglaubliche Belastungen für einen Familienvater.

Das sind nur drei Beispiele aus einer langen Liste von Abhängigen, für die sich Maienfelder verantwortlich fühlt. Menschen, die vertrauensvoll einen Teil ihrer Mittel in seine Obhut gegeben haben, damit er sie (nicht zuletzt unter Verwendung des Unternehmens und dessen Personals) vermehre. Menschen, die sich voll und ganz darauf verlassen, daß er, Maienfelder, sie nicht mit leeren Händen dastehen läßt angesichts der ständig steigenden Lebens- und Pferdehaltungskosten.

Maienfelder ist stolz auf dieses Vertrauen und nimmt die Aufgabe ernst, es zu rechtfertigen. Denn er weiß, wie grobmaschig das soziale Netz für den Gewinnausschüttungsabhängigen ist. Meistens muß dieser ja von der dritten Säule leben, und niemand zahlt ihm Stempelgeld, wenn diese nicht einmal genug abwirft, um den Bereiter zu bezahlen. Der Lohnempfänger ist dem Dividendenempfänger eben auch in dieser Hinsicht überlegen. Ganz abgesehen davon, daß er eine Einkommenseinbuße viel flexibler handhaben kann, da er ja in der Regel auch fixkostenmäßig im Vorteil ist.

Maienfelder führt also das Unternehmen streng gewinnorientiert, was in harten Zeiten wie diesen vor allem kostenorientiert bedeutet, und behält bei Investitionsentscheidungen stets die Dividendengerechtigkeit im Auge. Bereiche, die weniger als 15 Prozent Gewinn erwirtschaften, stören sein soziales Rechtsempfinden und werden kostenoptimiert oder ganz abgebaut. Natürlich entstehen dabei auch soziale Härtefälle unter den Lohnabhängigen. Maienfelder nimmt auch diese nicht auf die leichte Schulter. Aber er ist der Meinung (und tut diese gegebenenfalls auch kund), daß in schweren Zeiten alle bereit sein müssen, Opfer zu bringen.

Auch und gerade das Opfer der Solidarität gegenüber dem Anteilseigner.

Hunold, Manager und Familienvater

Hunold kann auch abschalten und nur für die Familie dasein. In der Regel Ende Juli. Dann läßt er die Firma Firma sein und geht in die Sommerferien. Zwar nicht vier Wochen wie Linda und die Kinder, aber immerhin zehn Tage. Es kommt ja nicht in erster Linie auf die Länge an, die Intensität ist es, die zählt. Und in puncto Intensität ist Hunold stark.

Er kommt so Mitte der zweiten Woche und meidet damit die gehässigen ersten Tage. Bei seiner Ankunft sind die Sonnenschutzfaktoren schon runter auf zehn, und Annina (7) und Terry (9) wissen, wo es die beste Pizza gibt und was »ein Magnum mit Mandelsplitter« in der Landessprache heißt. Linda ist braun genug für die neue Feriengarderobe und bewegt sich mit der Nonchalance einer erschöpften Mutter von zwei kleinen Kindern nach zehn Tagen Kampf gegen Ultraviolett, Quallen, Hitze und unterschiedliche Auffassungen in fast allen Fragen des täglichen Lebens. Wenn Hunold ankommt, ist die Familie bereit für ihn.

Den Abend nach seiner Ankunft *widmet* er Linda. Sobald sie die Kinder ins Bett gebracht hat, besitzt sie seine ungeteilte Aufmerksamkeit. Dann kann sie ihm einmal all das erzählen, wofür ihm sonst seine Managementaufgaben (letztlich ja seine Aufgaben als Ernährer) keine Zeit lassen. Das ist der Moment, wo er *zuhört,* wo er alles wissen will über die kleinen Sorgen und Sensatiönchen des Alltags einer Mutter zweier Kinder und Frau eines Executive Vice President der Schweizer Niederlassung eines internationalen Markenartiklers. Wenn es nicht zu spät wird oder einer seiner praktischen Ratschläge zu Haushaltführung oder Kindererziehung zu einer Verstimmung geführt hat, intensiviert er nach dem Zubettgehen die Beziehung auch noch über das rein Geistige hinaus.

Der Tag gehört dann der ganzen Familie. Er beginnt mit dem *gemeinsamen* Frühstück. Sich hinsetzen, sich *zuwenden.* »Wie würdest du Qualle schreiben, Annina?« – »Wie heißt das Land, wo wir sind, und wie seine Hauptstadt, Terry?« Kinder sind ja so wissensdurstig.

Das Programm des ersten Tages sieht keinen Strandbesuch vor. Das hat vor allem pädagogische Gründe. Hunold will mit dieser unpopulären Maßnahme seine natürliche Autorität von Anfang an wiederherstellen, Kinder brauchen Führung, sie wollen, daß ihnen jemand sagt, wo es langgeht. Natürlich ist das im Normalfall Linda, aber kann eine Mutter auf die Länge den Vater ersetzen? Ein Tag ohne die Ablenkung des Strandlebens verbessert die Intensität des Zusammenseins. Und auch die persönliche Erreichbarkeit am ersten Tag seiner Firmenabwesenheit.

Hunold *beschäftigt* sich also rückhaltlos mit seinen Kindern. Was sind das für kleine Menschlein, die er hier führt, für die er sorgt, die zu ihm *aufschauen,* die ihm *vertrauen*? Welche seiner Bewegungen, Züge, Charaktereigenschaften, Talente *entdeckt* er in ihnen wieder? Wie kann er *wekken, motivieren, fördern*?

Er versucht ihnen die Landessprache des Ferienortes näherzubringen, denn Kinder lernen Sprachen ja so leicht. Er bemüht sich, ihren Ekel vor Fisch zu überwinden, denn Kinder brauchen Phosphor und Magnesium. Er erzählt ihnen ausführlich über seine Tätigkeit als Executive Vice President, denn Kinder wollen wissen: Was ist das für ein Mensch, mein Papi? Was tut er, wenn er am Morgen früh weggeht und am Abend spät zurückkommt?

Im Bett nach dem ersten gemeinsamen Ferientag fragt Annina ihre Mutter: »Wievielmal schlafen, bis Papi wieder arbeiten muß?«

»Acht mal«, antwortet Linda Hunold ohne nachzurechnen.

Die Mutante Geissmann

Ich wüßte nicht, was ich ohne die Geissmann machen würde«, ist einer von August Forrers Standardsätzen, von denen er auch für andere Gelegenheiten ein paar auf Lager hat (»Das landet natürlich wieder bei mir«, »Wofür bezahlen wir den eigentlich?«, »Wenn ich alle Überstunden aufschreiben würde, wäre ich seit zwei Jahren pensioniert«, »Seien Sie froh, daß wir die Löhne nicht sogar kürzen müssen«). »Die Geissmann« ist Doris Geissmann, Direktionssekretärin im Rang einer Prokuristin, die Frau, die Forrer organisiert, was keine leichte Aufgabe ist, denn Forrer ist einer der als Pedanten verkleideten Chaoten, von denen es auf den Führungsetagen wimmelt.

Wer von Forrer einen Termin will, bekommt zu hören: »Fragen Sie die Geissmann, sie führt meine Agenda.« Wenn jemand etwas über das Betriebsbudget wissen will, sagt er: »Fragen Sie die Geissmann, sie hat die Zahlen im Kopf«, und wenn die Telefonistin einen unzufriedenen Kunden am Draht hat, ruft er: »Doris, nehmen Sie Fries, er hat etwas Administratives.«

Doris Geissmann hält Forrer den Kopf frei für, ja, für was eigentlich?, und er dankt es ihr, indem er damit kokettiert, daß sie den Laden besser kenne als er. Was ohne Zweifel stimmt.

Vielleicht hat er sie einmal zu oft gelobt, denn eines schönen Tages liegt ihre Kündigung auf seinem Schreibtisch. Ein besseres Angebot von jemandem, der auch den Kopf frei haben will für – was immer.

Forrer hält es zuerst für ein taktisches Manöver, wahrscheinlich findet sie ihren Lohn zu niedrig (auch so eine Zahl, die er dank ihr nicht im Kopf haben muß), und signalisiert Verhandlungsbereitschaft. Aber die Geissmann geht nicht darauf ein. Forrer gibt beleidigt auf. Erstmals fällt ein Satz wie: »Die Geissmann ist zwar gut, aber ausgesprochen flexibel ist sie nicht.« Es folgen: »Die Geissmann ist schon in Ordnung – wenn das Umfeld stimmt.« Und: »Das war ein gutes Arbeitsverhältnis, aber irgendwie hat es sich auch erschöpft.« Und schließlich: »Ein frischer Wind im Direktionssekretariat wird uns allen guttun.«

Der frische Wind heißt Sonja Hegner. Schon nach drei Wochen sagt Forrer während der Montagssitzung, als sie in der Kaffeeküche ist: »Das ist eben der Unterschied zur Geissmann; der fällt dabei kein Zacken aus der Krone. Und ist dennoch völlig emanzipiert.«

»Jetzt merkt man erst, wie kompliziert die Geissmann war«, sagt Forrer in der fünften Woche. Und kurz darauf: »Es fällt einem erst auf, wie mittelmäßig jemand war, wenn jemand Besseres kommt.«

Sonja Hegners rascher Erfolg hat wenig mit ihren Leistungen zu tun. Sie ist nicht in erster Linie Doris Geissmanns Nachfolgerin. Sie ist vor allem August Forrers Antwort auf Doris Geissmann. Und August Forrer gibt keine schlechten Antworten. Sie kann gar nichts falsch machen, auch wenn sie nicht alles richtig macht. Und das verleitet sie zu einem Fehler: Sie bringt nach Ablauf ihrer Probezeit ihr Gehalt zur Sprache.

»Liegt noch etwas drin bei der Hegner?« erkundigt er sich beim Personalchef.«

»Sie liegt 800 unter der Geissmann.«

»Nur?« Forrer ist überrascht. Und schon ist Doris Geissmanns Geist wieder heraufbeschworen.

»Die Hegner ist zwar gut, aber die Erfahrung der Geissmann hat sie natürlich noch nicht.« Und: »Ein paar Dinge, die die Geissmann eingeführt hat, haben sich ganz gut bewährt. Man muß nicht immer alles neu erfinden.« Und später: »Man konnte gegen die Geissmann haben, was man wollte, aber ihre Ablage – Hut ab!«

»Bei der Geissmann wäre das nicht passiert«, ist jetzt einer von August Forrers Standardsätzen, von denen er auch für andere Gelegenheiten ein paar auf Lager hat.

Der schöne Haubensack

Wenn Haubensack ganz objektiv in den Spiegel schaut, kommt er immer zum gleichen Resultat: Er ist schön. Natürlich hat er da und dort eine Kleinigkeit an sich auszusetzen, wie alle schönen Menschen. Das Kinn dürfte etwas kantiger sein und die Nase vielleicht eine Spur gebogener, aber das sind Details, die nur dem eingeweihten und überkritischen Betrachter auffallen. Für unbefangene Ästheten wie Haubensack ist Haubensack schön.

Jetzt könnte man einwenden, daß Haubensack voreingenommen ist, was die Beurteilung seiner persönlichen Schönheit angeht. Aber damit würde man ihm unrecht tun. Er ist als Manager und (von der Anlage her) Führungspersönlichkeit darauf trainiert, Sachverhalte völlig losgelöst vom subjektiven Empfinden zu bewerten. Man könnte dem nun entgegenhalten, daß Schönheit an sich schon ein sehr subjektiver Wert sei. Aber das sind die Ausflüchte, mit denen die nicht wahrhaft Schönen, die innerlich Schönen oder die Hübschen lavieren. Es ist nicht alles Geschmackssache. Es gibt die absolute, die objektive Schönheit. Und die besitzt Haubensack nun einmal, so leid es ihm tut.

Nur ist es mit der Schönheit anders als mit anderen objektiven Qualifikationen wie Englisch in Wort und Schrift oder Major im Generalstab: Man ist für ihre Bestätigung auf andere angewiesen. »Schön« als Qualifikation im Curriculum einer Führungskraft wird in den spießigen Kreisen des Business-Establishments immer noch als Fauxpas angesehen. Das einzige, was man tun kann, ist ein Foto beilegen, das keine Zweifel bestehen läßt. Aber selbst dann ist es immer noch dem Gutdünken des Betrachters überlassen, ob er die Schönheit als solche anerkennen will. Im Fall von Haubensack ist es so, daß man ihm deren Anerkennung verweigert. Und das schon seit Jahren.

Früher war ihm das egal gewesen. Da hatten die schönen Männer noch gegen das von häßlichen Männern in die Welt gesetzte Vorurteil zu kämpfen, schöne Männer seien dumm. Aber heute, wo es wissenschaftlich erwiesen ist, daß schöne Männer mehr verdienen, fängt es ihn an zu stören. Seit einiger Zeit kämpft er wortlos, aber engagiert für die öffentliche und die damit verbundene lohnpolitische Anerkennung seiner persönlichen Schönheit. Es gibt ja auch andere Methoden als herumgehen und posaunen: »Guckt mal her, wie schön ich bin!« Man kann Schönheit auch ohne Worte betonen. Körpersprachlich, stylingmäßig, olfaktorisch. Haubensack weiß zum Beispiel, aus welchem Winkel sein Profil am besten zur Geltung kommt, und hat sich angewöhnt, auf Sitzungen wie in Gedanken einen Punkt halblinks oben zu fixieren. Er weiß auch, daß seine Hände, wenn denn eine Gewichtung zulässig wäre, etwas vom Schönsten an seiner Gesamterscheinung sind, und läßt sie auf den Tischen liegen wie Kostbarkeiten aus dem Besitz nachlässiger Milliardäre.

Er ist sich auch der Funktion der Krawatte bewußt: Sie

ist das Ausrufezeichen, das seiner Erscheinung den gebührenden Nachdruck verleiht. Sie ist der Hinweispfeil für die Begriffsstutzigen: »Hier schöner Mann.« Haubensack besitzt eine große Sammlung davon, sorgfältig ausgesucht nach dem Gesichtspunkt, daß sie auf seine Schönheit hinweisen soll, nicht von ihr ablenken.

Seit kurzem setzt er auch das Eau de toilette massiver ein. Es ruft: »Riech mal, wie schön ich bin!« Es soll für die Nase des Gegenübers das sein, was Haubensack für dessen Auge ist. Und wenn er gegangen ist, soll es nachhängen im Raum als langwährende Erinnerung an einen objektiv schönen Menschen.

Haubensack rechnet jetzt mit der Anerkennung seiner Schönheit noch vor der nächsten Lohnrunde.

Das Angenehme an Kappeler

Kappeler ist ein großer Erreicher hochgesteckter Ziele, ein eleganter Vollender kaum zu bewältigender Aufgaben, ein ungerührter Vollstrecker knallharter Maßnahmen, ein Wirtschaftsstar zwar nicht der allerersten Garde, dafür aber mit allem, was dazugehört: Launen, Exzentrik, Publizitätssucht, Rüpelhaftigkeit und schlechtsitzenden Anzügen.

Er kann in Ehren ergraute Kader, von denen er hierarchisch nichts zu befürchten hat, vor versammeltem Publikum abkanzeln. Er kann mitten in einer von langer Hand vorbereiteten Strategiepräsentation laut herauslachen, wenn der Vortragende aus Nervosität die Overhead-Folie verkehrt auflegt. Er stellt Fragen, für deren Antworten er sich nicht interessiert, er hört nicht zu, wenn man mit ihm spricht, und fällt einem ins Wort, wenn er das Gefühl hat, man weiche vom Thema ab, das da lautet: Kappeler, Kappeler, Kappeler.

So rücksichtslos er anderen gegenüber sein kann, so sensibel ist er, was die Respektierung der eigenen Person angeht. Ständig liegt er auf der Lauer nach kleinsten Ansätzen der Mißachtung seiner natürlichen Vorrechte, winzigsten Andeutungen der Verweigerung der Ehrerbietung, Anflügen von Kritik. Und wenn er fündig wird, was oft geschieht, ist er am Boden zerstört. Dann braucht es die ganze Hingabe seines Vorzimmers, das Einfühlungsvermögen seiner Frau Suzanne und die bedingungslose Anbetung durch seine Freundin Jana, um das zarte Pflänzchen seines Selbstwertgefühls wieder aufzurichten.

Aus Platzgründen nur soviel zu Kappelers unangenehmeren Seiten. Jetzt zum Angenehmen: seiner Gabe, die Menschen aufzuwerten.

Kappeler besitzt das große Talent, den Menschen, mit denen er sich umgibt, das Gefühl zu geben, etwas ganz Besonderes zu sein. Wer mit Kappeler in der Öffentlichkeit auftritt, steigt sofort in seinem eigenen Ansehen. Nicht nur deshalb, weil er das Privileg genießt, mit jemandem vom Format eines Kappeler gesehen zu werden und so in dessen Abglanz selber auch etwas heller und strahlender dazustehen, sondern auch dank Kappelers tatkräftiger Überhöhung der Menschen in seiner Gesellschaft.

»Fritz Müller brauche ich Ihnen nicht vorzustellen«, sagt er, wenn er in der Pause eines Symposiums mit Fritz Müller angetroffen wird, der nur dabei ist, weil er den betriebsinternen Wettbewerb »Verkäufer des Halbjahres« gewonnen hat. Und wenn dann der Dazugestoßene zufällig nicht mit einem wissenden Lächeln dem unbekannten Fritz Müller die Hand reicht, sondern etwas Nachhilfe braucht, ergänzt Kappeler: »Einer der wirklich ganz großen Verkaufspsychologen, denen ich in meiner Laufbahn begegnet bin.«

Der Hospitant der Wirtschaftszeitung, der auf Druck von Kappeler Kappeler zur Vertiefung von Kappelers jüngster Pressemitteilung bei einem Mittagessen in einem Pro-

minentenlokal interviewt, wird als »die wohl vielverspre-
chendste Feder im modernen Wirtschaftsjournalismus«
vorgestellt.

Zu allen, mit denen sich Kappeler zeigt, fällt ihm etwas
ein, das sie über den Durchschnitt hinaushebt. »Einer der
größten Ballettkenner im Controlling.« – »Wahrscheinlich
die Kapazität auf dem Gebiet der Firmenbroschüren.«
Oder: »Bewohnt die vielleicht schönste Dreizimmerwoh-
nung in ganz Effretikon.«

Meistens verstößt Kappeler die Hochgejubelten danach
wieder in die ihnen angemessene Bedeutungslosigkeit.
Aber für die Dauer des öffentlichen Auftritts verleiht er
auch dem Geringsten in seiner Entourage Gewicht und
Ansehen.

Daß er das nur zur Pflege der eigenen Bedeutung tut –
ein Kappeler umgibt sich nicht mit Nonvaleurs –, das gehört wiederum eher zum Unangenehmen an Kappeler.

Männer unter Streß: Perrig

Ehrlich gesagt: Perrig braucht den Streß. Ohne Streß fehlt ihm das Gefühl zu arbeiten. Oder die Leistung zu erbringen, die er sich abverlangt: Höchstleistung. Wenn Perrig nicht immer, wenn er sich mit einer Sache befaßt, in Gedanken schon bei der nächsten ist, fehlt ihm der Druck, der ihn zur richtigen Entscheidung treibt. Je enger die Räume, je rarer die Alternativen, desto zwingender die Entscheidung. Einer, der immer vorneweg entscheiden muß, hält sich nicht mit Prioritäten auf.

Aber daß Perrig den Streß braucht, bedeutet nicht, daß er nicht unter ihm leidet. Im Gegenteil: Perrig leidet ganz schrecklich unter seinem Streß. Und mit ihm die ganze Abteilung. Wenn er als letzter ins Büro kommt, noch Rasierschaum an den Ohrläppchen und einen Bissen Grahambrot im Mund, läßt er es die ganze Abteilung spüren, daß sie schon hier ist. Leute, die pünktlich bei der Arbeit sind, sind nicht ausgelastet. Es gibt eine höhere Form der Pflichterfüllung als die pünktliche: die aufopfernde. Die, die nicht unterscheidet zwischen Tag und Nacht, Geschäft und Privat, Bürozeiten und Überstunden. Wenn Perrig ins Büro kommt, verlegt er lediglich den Schauplatz seiner totalen beruflichen Hingabe. Pünktlichkeit ist das Gegenteil von Engagement. Sie degradiert die Tätigkeit zu einer, der man nach einem bestimmten Stundenplan nachgehen kann.

Nicht daß Perrig von seiner Abteilung nicht absolute Pünktlichkeit verlangen würde. Von Leuten, die durch die Pünktlichkeit, mit der sie ihrer Aufgabe nachgehen, beweisen, daß sie nicht mit Leidenschaft bei der Sache sind, ist Pünktlichkeit das mindeste, was man verlangen darf. Es ist die demonstrative Art, wie sie alle schon da sind, wenn er eintrifft, abgekämpft schon morgens um neun und ohne Hoffnung, den Rückstand auf den Tag jemals aufzuholen, die er ihnen vorwirft.

Sobald Perrig im Büro ist, macht er sich daran, Dinge, die die höchste Stufe der Überfälligkeit noch nicht erreicht haben, zu verschieben. Eine Arbeit, zu der er etwa drei Tassen starken Kaffee braucht. Danach gönnt er sich eine Kaffeepause, reißt die Fenster auf, leert die Aschenbecher, schließt die Fenster, zündet sich eine an und beginnt, eine Pendenzenliste aufzustellen. Bis Mittag läßt er sich von der Aussichtslosigkeit lähmen, auch nur eine der anstehenden Aufgaben auch nur annähernd befriedigend lösen zu können. Dann geht er zum Lunch, wo er praktisch keinen Bissen runterkriegt und ein wenig überzieht mit Glogger, der auch ein Liedchen singen kann vom Streß.

Am Nachmittag kommt er zu nichts, weil alles auf ihn einstürzt. Alle wollen etwas von ihm, nichts geht ohne ihn. Was kann man anderes erwarten von Leuten, die nur darauf warten, bis es fünf Uhr ist und sie den Griffel fallen lassen können?

Perrig läuft langsam zu seiner Hochform auf. Erledigt gleichzeitig drei Dinge nicht und trifft nebenbei noch ein paar wichtige Entscheidungen, die Vertagung einiger wichtiger Entscheidungen betreffend. Doch genau als er sich die Pendenzenliste vorknöpfen will, wird er von seiner Sekretärin an die Abteilungsleitersitzung erinnert, die vor zehn Minuten begonnen hat. Über eine Stunde verbringt er wie auf Nadeln mit Leuten, die offenbar nichts zu tun haben, als zu quasseln, während es in seiner Abteilung an allen Ecken brennt, meine Herren.

Als er endlich wieder im Büro sitzt, ist schon die halbe Abteilung gegangen. Das hat den Vorteil, daß er in Ruhe seine Pendenzen aufarbeiten kann, aber den Nachteil, daß das dazu nötige Feedback nicht abrufbar ist, weil die zuständigen Apparatschiks natürlich schon längst zu Hause auf dem Balkon in die Holzkohle pusten.

Es bleibt ihm nichts übrig, als das Ganze um eine schlaflose Nacht zu verschieben.

Die neue Bescheidenheit

Hier am Skilift merkt man nicht viel von der Rezession.«

»Leider. Das gleiche Gedränge wie früher.«

»Früher sind wir mit dem Heli rauf.«

»Wir auch. Aber man sah es ja von oben.«

»Und jetzt stehen wir mittendrin.«

»Manchmal habe ich das Gefühl, unsereinen trifft es am härtesten. Verzichten, obwohl man es sich leisten könnte.«

»Es wird einem halt sofort falsch ausgelegt, wenn man ein bißchen Geld liegenläßt. Vor allem hier oben, mit all den Russen.«

»Einmal im JET SET nicht nach dem Preis gefragt, und schon gilt man als Rezessionsgewinnler.«

»Jacqueline trägt das Outfit vom vorletzten Jahr. Das vom letzten Jahr zu tragen sei ihr bereits zu protzig, sagt sie.«

»Gabi ist auch sehr solidarisch.«

»Am Anfang brauchte es ein wenig Überzeugungsarbeit, aber jetzt habe ich manchmal das Gefühl, es macht ihr richtig Spaß.«

»Es ist wie eine Art reversierter Luxus, denke ich manchmal. Es sich leisten können, sich etwas nicht zu leisten.«

»Wenn es die andern auch tun, wirkt es auch nicht ärmlich.«

»Im Gegenteil.«

»Man kann es aber auch übertreiben. Bender zum Beispiel. Fuhr zweiter Klasse nach Bern.«

»Schon etwas kraß. Mit einem Testarossa in der Garage.«

»Bender war schon immer eher exzessiv.«

»Auf der andern Seite: Das Banking ist in Rezessionszeiten besonders sensibel, was den Lebensstil seiner Exponenten angeht.«

»Schon, aber zweiter Klasse nach Bern!«

»Ist das nicht Wulfli da vorne?«

»Der Dicke mit der schwarzen Jacke?«

»Mit der Saisonkarte am Ärmel.«

»Dann ist er es. Saisonkarte trägt heutzutage nur noch Wulfli sichtbar.«

»Fünfundsechzig Stellen abbauen, aber Saisonkarte am Ärmel.«

»Das ist jetzt schon das zweite Jahr, daß ich nur noch für zwei Wochen löse.«

»Wir haben uns dieses Jahr für die Mehrfahrtenkarte entschieden. Dann kostet es nur, wenn du auch wirklich auf die Piste gehst. Zum Beispiel an Neujahr nichts.«

»Obwohl: An Neujahr hat es am wenigsten Leute.«

»Da könntest du dich täuschen. Jetzt, wo die Leute an Silvester nicht mehr so über die Stränge hauen, stehen sie am Morgen auf.«

»Wir feiern eben im kleinen Kreis, da muß man sich noch nicht so verstellen.«

»Wir sind bei Ruchtis. Gschwellti. Ohne Kaviar, hat sie Gabi gesagt.«

»Ist halt schon etwas negativ besetzt, Kaviar.«

»Wollte damit nur ausdrücken, daß heuer sogar Zurückhaltung geübt wird, wenn man unter sich ist. Falls es dir wichtig ist, an Neujahr auf der Piste gesehen zu werden.«

»Nicht unbedingt auf der Piste. Aber wenn ich der einzige wäre, der am Ersten nicht bei Mathis auftaucht, gibt es ein paar, die meinen, ich hätte übermäßig Grund gehabt zu feiern.«

»Vielleicht haben wir Glück mit dem Wetter, und es schneit den ganzen Tag.«

»Meistens, wenn man das schlechte Wetter braucht, ist es schön. Am besten, ich halte mich an Silvester zurück.«

»Auch das ist nicht ganz einfach. Wenn du dem Freixenet nicht richtig zusprichst, denken sie noch, du trinkst nur Roederer Cristal.«

»Wir haben noch zwölf Kisten von vor der Rezession, aber man darf ihn ja nicht aufstellen. Geht ja nicht kaputt.«

»Wie gesagt, unsereinen trifft es am härtesten.«

Schiltknecht disponiert

Gmünder ist einer der Vorsätze, die Schiltknecht für das neue Jahr gefaßt hat. Vielleicht einmal ein Apéro mit ihm. Oder ein Lunch. Irgend etwas, das die Human relations zu ihm etwas verbessert. Nicht daß sie schlecht wären – man grüßt sich, tauscht ein paar Worte aus –, aber sie liegen vielleicht etwas brach. Immer wieder hat er es aufgeschoben, sich ihrer anzunehmen. Aber sein Kernvorsatz fürs neue Jahr lautet »Effizienzsteigerung«. Und dazu gehört, daß er Dinge nicht aufschiebt, bei denen er mit wenig Aufwand große Wirkung erzielen kann. Gmünder gehört zu diesen Dingen.

Gmünder ist der zweite Mann in der Logistik, an sich harmlos. Aus der Logistik könnte ihm allenfalls der erste Mann gefährlich werden, Meister. Ähnlicher Background wie Schiltknecht, aber nicht so solid. Plus Altershandicap, 56. Aber gut: Abschreiben darf er Meister nicht. Tut er auch nicht. Behält ihn im Auge, pflegt ihn, nennt ihn den perfekten Logistiker, galvanisiert ihn mit gezieltem Lob auf seiner Position fest. Und solange Meister Gmünder vor der Aussicht steht, ist von diesem nichts zu befürchten. Ein Überflieger ist Gmünder nicht.

Dennoch, ein Apéro oder kleiner Lunch schadet nichts. Man kann nie zu viele Freunde haben in diesen Zeiten.

In seiner Agenda sieht es für Januar eigentlich noch ganz gut aus. Schiltknecht hat die Wahl zwischen einem Kurzlunch am Dienstag, einem Lunch ohne 14-Uhr-Termin am Donnerstag oder einem Apéro mit open end am Montag nächster Woche. Er entscheidet sich für den Apéro aus Gründen, die nicht nur mit Gmünder zu tun haben. So kann er sich zu Hause abmelden und hat anschließend einen gewissen persönlichen Spielraum.

Er spürt es förmlich, wie gerührt Gmünder ist, als er ihn anruft und sagt: »Hätten Sie nicht Lust, mit mir auf das neue Jahr anzustoßen, solange es noch einigermaßen neu ist, zum Beispiel in der ›Manhattan-Bar‹, zum Beispiel nächsten Montag?« Als er auflegt, könnte er wetten, daß der Mann bereits mit seiner Frau am Draht hängt und ihr von seinem Durchbruch erzählt. Schiltknecht fühlt sich nicht nur effizient, sondern auch gut. Wie ein Pfadfinder nach der guten Tat.

Am Donnerstag ruft Bläuenstein an. »Haben Sie Montag etwas vor, dachte, wir könnten aufs neue Jahr anstoßen, bevor es schlecht wird.«

»Nichts, das ich nicht schieben könnte.«

»Nein, verschieben brauchen Sie deswegen nichts, dann machen wir es ein andermal.«

»Nein, wirklich, es ist nichts, eine vage Abmachung, rein gar nichts.« Als Bläuenstein auflegt, ruft Schiltknecht sofort seine Frau an und erzählt ihr, wie gut das Jahr sich anläßt.

Gmünder klingt enttäuscht, als er ihm absagt. »Ein Fehler bei der Terminübertragung in die neue Agenda«, erklärt Schiltknecht. »Ich komme wieder auf Sie zu«, lügt er.

Leute, die mit Leuten wie Bläuenstein aufs neue Jahr anstoßen, brauchen das mit Leuten wie Gmünder nicht auch noch zu tun.

Am Montag nachmittag ruft Bläuenstein an. »Zwei Sekretärinnen und können nicht einmal meine Termine in die neue Agenda übertragen«, entschuldigt er sich. »Ich melde mich dann wieder.«

Schiltknecht erinnert sich an Gmünder. »Es ist mir gelungen, kurzfristig umzudisponieren.« Aber Gmünder hat jetzt schon etwas vor: »Sorry, ich komme wieder auf Sie zu.«

In der ›Manhattan-Bar‹ tröstet sich Schiltknecht über die Niederlage hinweg. Hätte es auch geschafft, wäre er dort nicht Bläuenstein begegnet. Bläuenstein mit Gmünder.

Messmers bessere Hälfte

Hast du Messmer gesehen gestern?«

»Und ob!«

»Wer war sie?«

»Seine Frau.«

»Nein, ich meine die Brünette, die einen Kopf größer ist als er.«

»Ich auch. Sie ist tatsächlich seine Frau.«

»…«

»So habe ich auch reagiert, als ich es erfuhr.«

»Wie kommt Messmer zu einer solchen Frau?«

»Gegensätze ziehen sich an.«

»Du glaubst, sie ist nicht nur schön, sondern auch intelligent?«

»Nicht ganz dumm reicht auch als Gegensatz zu Messmer.«

»Warum hat sie ihn dann geheiratet, wenn sie nicht ganz dumm ist?«

»Berechtigter Einwand.«

»Hast du gesehen, wie die sich bewegt?«

»Bin ja nicht blind.«

»Und diese Beine!«

»Was sie größer ist als er, ist alles Bein.«

»Vielleicht eine Zweckheirat.«

»Kannst du dir irgendeinen Zweck vorstellen, der eine Heirat mit *Messmer* rechtfertigt?«

»Du meinst also Liebe?«

»So weit würde ich nicht gehen, aber nach einer Scheinehe sah es auch nicht gerade aus.«

»So genau habe ich nicht hingeschaut. Ich war ja mit Eliane.«

»Sie konnten keine Sekunde die Finger voneinander lassen, wenn du es genau wissen willst.«

»Will ich nicht.«

»Eifersüchtig?«

»Auf Messmer? Ich?«

»Könnte ja sein. Zuerst die Projektleitung GhZ und jetzt noch diese Frau.«

»Es vergeht kein Tag, an dem ich nicht dankbar bin, daß ich die Projektleitung GhZ nicht am Hals habe.«

»Finanziell aber schon nicht ganz uninteressant.«

»Geld allein macht nicht glücklich.«

»Aber Geld plus diese Frau könnte der Sache schon näherkommen.«

»Ich möchte trotzdem nicht tauschen.«

»Ich weiß nicht.«

»Mir wäre der Preis zu hoch.«

»Die Projektleitung GhZ?«

»Nein, Messmer sein zu müssen.«

»Vielleicht würde man sich daran gewöhnen. Er scheint ganz gut damit zurechtzukommen.«

»Das ist es ja! Diese Selbstzufriedenheit.«

»Seit ich seine Frau gesehen habe, verstehe ich besser, woher er sie nimmt.«

»Das macht es nicht erträglicher.«

»Nein, das nicht.«

»Im Gegenteil.«

»Naja, sie hat auch einen Zug ins Gewöhnliche.«

»Ach? Das ist mir gar nicht aufgefallen.«

»Ich stand praktisch daneben. Sie ist schon klasse. Aber nicht top. Dafür lacht sie eine Spur zu laut.«

»Wenn ich etwas hasse an einer Frau, ist es das.«

»Nicht wahr? Wirkt sofort ordinär.«

»Verdirbt das ganze Bild.«

»Genau wie diese praktisch durchsichtigen Blusen.«

»Ach, das trug sie auch?«

»Nicht aufgefallen?«

»Wie gesagt: War mit Eliane. Praktisch durchsichtig, sagst du?«

»Nur wie so eine Art Tüll. Ist ja jetzt wieder Mode.«

»Aber doch nicht für eine Lagerhalleneröffnung.«

»Habe ich auch gesagt.«

»Aber typisch Messmer. Auffallen um jeden Preis.«

Leuthardt, ernstgenommen

Gleich wie immer, Herr Leuthardt?«

Leuthardt nickt. Obwohl das nicht als Frage gemeint war. Corsini wollte damit nur ausdrücken, daß er keine Frage hat, was Leuthardts Haarschnitt betrifft. Er wollte ihm nur das Gefühl geben, daß er sich ihm voll anvertrauen kann.

Corsini breitet den Frisierumhang über ihn aus und legt ihm ein Frotteetuch über die Schultern. Leuthardt schließt die Augen und legt unaufgefordert den Kopf weit zurück in die Einbuchtung des Waschbeckens. Sofort beginnt das Rauschen der Handdusche. Corsini läßt sich das Wasser über den Handrücken laufen und reguliert die Mischbatterie, bis es genau die Temperatur hat, die Leuthardt angenehm ist. Dann lenkt er den weichen Strahl auf dessen Haar. »Sagen Sie mir, wenn es zu heiß oder zu kalt ist.«

Noch nie hat Leuthardt an der Wassertemperatur das geringste auszusetzen gehabt. Sie liegt stets schätzungsweise ein halbes Grad über seiner Körpertemperatur, gerade genug, um ihm das Gefühl von Wärme zu vermitteln.

Es gibt nicht viele Leute im Leben von Josef Leuthardt, die sich so tief in ihn hineinfühlen, daß sie ein Gespür dafür haben, wieviel Wärme er braucht. Und es gibt niemanden außer ihm selber, der, wie jetzt Corsini, mit allen zehn Fingern seine Kopfhaut massiert. Sofort fühlt sich diese an, wie wenn sie überall, wo sie Corsinis gefühlvolle Fingerkuppen berühren, von Geburt an gejuckt hätte. Leuthardt spürt, wie die Blutzirkulation angeregt wird, wie die Haut an Elastizität gewinnt und sich fest um jede Haarwurzel schließt.

Nach der Haarwäsche schlägt Corsini Leuthardts Kopf wie eine Mutter in das Frotteetuch ein und massiert das Haar schnittrocken. Dann kämmt er es ihm mit großem Ernst.

»Wie sieht es aus?« erkundigt sich Leuthardt wie jedesmal in dieser Phase des Vorgangs.

»Wenn ich nicht wüßte, daß es fast nicht möglich ist, würde ich sagen: dichter. Massieren Sie täglich?«

»Täglich.«

»Alfredo, kommen Sie einen Moment?«

Der zweite Coiffeur tänzelt an.

»Sehen Sie, was tägliches Massieren bringt.«

»Wenn ich es nicht mit eigenen Augen sehen würde!« stößt Alfredo aus, schlenkert die Linke und tänzelt weg.

Corsini nimmt die Schere und fängt an zu schnippeln.

»Wäre auch ein Jammer. So herrliches Haar!« Dann konzentriert er sich wieder voll auf Leuthardt. Dieser kennt keinen Menschen, der sich je so uneingeschränkt mit ihm befaßt wie Coiffeurmeister Corsini. Nicht nur, daß ihn Leuthardts Äußeres – Symmetrie der Koteletten, Abstufung der Nackenhaare, Verlauf des Scheitels, Fall und Fülle der über die kritischen Stellen gefönten Haare – vollkommen in Anspruch nimmt. Daneben hat er auch noch Zeit für den Manager Leuthardt. Niemand erkundigt sich so aufrichtig interessiert nach dem Geschäftsgang, niemand hört sich so aufmerksam seine detaillierten Antworten an, kein Mensch hat soviel Verständnis auch für die unpopuläreren Entscheide und Maßnahmen, die ein Manager zu verantworten hat.

»Früher, als es gutging, wollten alle Gratifikationen und Bonusse. Aber heute ist immer nur der Manager schuld, wenn es einmal nicht nach Wunsch läuft«, ist heute Corsinis Fazit, als er zum Nackenpinsel greift.

Leuthardt läßt sich wie immer zu einem euphorischen Trinkgeld hinreißen und verläßt den Salon schöner und selbstbewußter.

»Wenn die Glatze von diesem Arschgesicht im gleichen Tempo weiterwächst, gibt es bald nichts mehr zu frisieren«, meint Corsini grinsend zu Alfredo.

Müller fühlt sich ein

Es ist nicht leicht, einen Termin bei Müller zu bekommen, insbesondere nicht, wenn die hierarchische Diskrepanz zu ihm so groß ist wie bei Trümpy: vier Beförderungsstufen. Aber Trümpy hat es geschafft dank seiner guten Beziehungen zu Elisabeth Aeppli, Müllers Sekretärin, deren Tochter den gleichen Tageskindergarten besucht wie Trümpys Tochter. Elisabeth Aeppli, zu deren Aufgaben es gehört, den Puls der Basis zu fühlen, hat Müller im Rahmen der monatlichen Berichterstattung über »die Stimmung im Laden« nahegelegt, etwas für die Basisnähe zu tun und Trümpy eine halbe Stunde einzuräumen. Drei Wochen später sitzt dieser bei Müller.

Trümpys Anliegen ist nicht besonders kompliziert: Er würde gerne ein paar Jahre ins Ausland, das ist nämlich der Hauptgrund, warum er sich damals entschieden hatte, diese Stelle bei einem englischen Multi anzunehmen. Die Bewerbungen über den Dienstweg sind alle versandet, und Trümpys Frau drängt auf eine Entscheidung, bevor ihre Tochter schulpflichtig wird. Das will er Müller darlegen und ihn bitten, ein paar Fäden zu ziehen. Das ist alles.

Müller ist ein Mann mit Einfühlungsvermögen. Eine seiner Stärken. Sobald sich (kurzer Blick auf die Personalakte) Trümpy gesetzt hat, beginnt er sich in den Mann hineinzufühlen. Was geht in diesem Menschen vor in diesem Augenblick, als er Platz genommen hat vor dem repräsentativen Schreibtisch eines Mitglieds der Unternehmensleitung, das sich *Zeit nimmt* für die Anliegen des unteren bis mittleren Kaders, obwohl es weiß Gott anderes zu tun hätte. Das sich nicht zu schade ist, *teilzunehmen* an den kleinen Sorgen der Human resources, auch wenn…

Das Telefon klingelt. Müller hat Frau Aeppli Weisung gegeben, Gespräche durchzustellen, denn die Welt kann nicht stehenbleiben, nur weil er sein Ohr einem (Blick auf die Personalakte) Vizedirektor schenkt.

Müller macht eine entschuldigende Geste zu Trümpy und greift zum Hörer. Er führt ein dynamisches Gespräch voller präziser Fragen und knapper Anweisungen mit einem Mitglied der erweiterten Geschäftsleitung und stellt sich vor, was das für diesen Trümpy für ein Erlebnis sein muß, einem Führungsmoment so hautnah beizuwohnen. Er sieht sich mit Trümpys Augen konzentriert und doch lässig am Schreibtisch sitzen und ohne Unterlagen oder Rückfragen aus dem Stand entscheiden und dabei noch die Zeit haben, die Hand auf die Sprechmuschel zu legen und Trümpy zuzuraunen: »Die Taiwan-Sache, bin gleich soweit.«

Müller zieht das Gespräch noch etwas in die Länge, schneidet ein paar andere Punkte an und läßt ein paar Namen aus der Konzernspitze fallen, nur um Trümpy noch etwas plastischer vor Augen zu führen, wie wertvoll die Zeit ist, die ihm hier geopfert wird. Dann legt er auf und schenkt dem Mann seine ungeteilte Aufmerksamkeit.

Während Trümpy sein Anliegen vorträgt, versetzt Müller sich wieder in ihn hinein. Er spürt die verständliche Nervosität, die den Mann befällt, so Auge in Auge mit einem, von dem er immer geglaubt hat, er sei unerreichbar. Und die Erleichterung, als er merkt, daß der »Unerreichbare« ein Mensch ist wie er. Ein Mensch, der *zuhören* kann und *verstehen.*

Als Trümpy endet, weiß Müller, daß dessen Anliegen bei Müller in guten Händen liegt. Was immer es gewesen sein mag.

Der letzte Kofferträger

Bührer weiß nicht mehr genau, wann er den ersten »Mann« mit einem dieser Wägelchen gesehen hat, es muß Ende der achtziger Jahre gewesen sein. Aber er kann sich noch genau an die Umstände erinnern. Er kam aus Casablanca und hatte einen Flughafenwechsel in Paris mit wenig Zeit. Am Taxistand wartete eine Schlange. Als er endlich an die Reihe kam, stieß ihn einer an. Er sei in großer Eile, ob er ihm bitte den Vortritt lassen könne. Bührer überließ ihm selbstverständlich sein Taxi. Der Mann war behindert, an seinem Köfferchen waren Räder angebracht.

Erst als er ihn in Orly wiedersah, wurde ihm klar, daß der Kerl nicht behindert war, sondern einfach nicht Manns genug, sein Handgepäck zu tragen. Er sah ihn nämlich behende zum Gate eilen, in der Linken sein fahrbares Köfferchen, in der Rechten die letzte Stand-by-Karte des Fluges, auf dem Bührer reserviert hatte. »Wir dachten, Sie kommen nicht mehr«, bedauerte die Frau am Check-in.

Bührer hat diese Wägelchen hassen gelernt. Anfänglich, als sie sich unter den Ferienreisenden verbreiteten, ignorierte er sie. Das war nicht weiter schwer. Leute, die zu ihrem Vergnügen reisen, sind ohnehin Luft für ihn. Aber dann tauchten sie bei den ersten Business-Männern auf.

Zuerst bei älteren Semestern, die ihr Lebtag tapfer ihre Köfferchen durch die Flughäfen, Hotels und Kongreßzentren der Industrienationen geschleppt hatten und sich jetzt, auf die alten Tage, etwas Entlastung gönnten. Bührer konnte das Behindertenköfferchen in dieser Erscheinungsform noch knapp tolerieren. Er hielt es zwar für würdelos, wie Tennisschuhe mit Klettverschlüssen und Preisvergünstigungen für Rentner außerhalb der Hauptverkehrszeiten. Aber jeder muß selber wissen, wie er alt werden will.

Dann brachen die Dämme. Gesunde, kräftige Vertreter des Middlemanagements führten Köfferchen über die Rollbänder spazieren wie alte Damen ihre fetten Dackel. Unnahbare Executives in Nadelstreifen ließen ihre Wägelchen auf den Pirelliböden rattern wie Dreijährige ihre Spielzeugentchen. Führungskräfte mit der Devise »Time is Money« verursachten Staus an Treppen und Fingerdocks, weil sie umständlich ihr Handgepäck von Fahr- auf Tragbetrieb umrüsten mußten.

Wie oft wurde Bührers Schienbein im Gedränge von einem dieser Geriatrie-Samsonites gerammt, bis er sich daran gewöhnt hatte, daß Geschäftsleute jetzt mit Anhänger reisen.

Bührer wirkte gegen den Trend, indem er Stellenbewerber, die mit dieser fahrbaren Form des Herrenhandtäschchens reisten, nicht berücksichtigte. Oder indem er, die abgewetzte Leder-Crew-bag in der Linken, die Rechte in der Hosentasche, jedesmal abschätzig grinste, wenn er einem begegnete. Aber der Trend war nicht aufzuhalten.

Das alles geht ihm durch den Kopf, als ihm jetzt der Rückenspezialist die Resultate des Tomographen erläutert und ihm eröffnet, daß keine Operation nötig sein werde, falls er in Zukunft die Wirbelsäule nicht mehr einseitig belaste.

Bührer entscheidet sich für die Operation.

Baden, Brugg und Sommerhalder

Sommerhalder ist kein Autogegner, im Gegenteil: Sobald die Kinder aus dem Haus sind, wird der Volvo V40 durch einen 911er Carrera ersetzt. Doch es kann durchaus Situationen geben, in denen er der Bahn den Vorzug gibt, da ist er nicht doktrinär. Eine solche Situation trifft an einem Freitag im Mai ein, an welchem er am Vormittag eine Verwaltungsratssitzung bei einer kleinen Diversifikation in Basel hat und am Nachmittag in Brugg bei Nussberger zu Vertragsverhandlungen antanzen muß.

Nussberger wird, wenn alles klappt, einer der bedeutendsten Kunden des Unternehmens mit einem Auftragsvolumen von über achtzehn Millionen in den nächsten drei Jahren.

Von seinem Gewährsmann in Nussbergers Umfeld weiß Sommerhalder, daß dieser gegen drei Dinge allergisch ist: abgelaufene Absätze, ungekämmtes Haar und Unpünktlichkeit. Die ersten beiden Punkte hat er im Griff, aber der dritte ist angesichts der Verkehrslage, der Zeit und des Wochentags Einflüssen ausgesetzt, die außerhalb seiner Kontrolle liegen. Deswegen entscheidet er sich an diesem Freitag ausnahmsweise für die Option *Bahn*.

Die Entscheidung stellt sich als goldrichtig heraus. Ausgeruht und konzentriert sitzt er am Nachmittag unbehelligt im Viererabteil eines angenehm gekühlten Erster-Klasse-Wagens und geht noch einmal Punkt für Punkt den Vertrag durch. Draußen fließt, von Sommerhalder unbeachtet, eine blühende Landschaft vorbei. Seine Füße stecken in einem Paar gut eingetragener, frisch besohlter Bally-Schuhe. Seine Frisur sitzt.

Sitzt sie wirklich? Sommerhalder läßt den Vertrag sinken und berührt mit dem Handballen die daunenfeinen Härchen, unter denen er seit frühester Jugend leidet. Das kleinste Lüftchen, ein heftiges Nicken, ein flotter Gang haben verheerende Auswirkungen auf die Anordnung der blaßgelben Seidenfäden, die seine Frisur bilden. Sommerhalder legt den Vertrag in die Mappe und geht zur Sicherheit noch einmal zur Toilette.

Wie er befürchtet hat: Die kritische Zone im Scheitelbereich bedarf der Nachbearbeitung. Sommerhalder nimmt die weiche Bürste und den Spray aus der Mappe und macht sich an die Arbeit. Der Zug verlangsamt sein Tempo und fährt in – Baden? Brugg? – in Baden ein. Er läßt sich nicht irritieren und bereinigt konzentriert und routiniert die Lage im Scheitelbereich. Der Zug hält. Draußen hört er die Stimmen der aus- und zusteigenden Passagiere. Die Frisur sitzt jetzt.

Sommerhalder packt seine Utensilien in die Mappe, wirft einen letzten Kontrollblick in den Spiegel und wartet, bis der Zug wieder anfährt. Auf keinen Fall will er sich dem Verdacht der Benutzung der Toilette während des Aufenthalts in Bahnhöfen aussetzen.

Der Zug fährt an. Sommerhalder beschließt aus Gründen der Glaubwürdigkeit noch zwei Minuten zuzugeben.

Da klopft es. Er reagiert nicht. Es klopft wieder. Er reagiert nicht. Die Tür wird geöffnet. Ein mißtrauischer Zugführer streckt den Kopf herein.

»In Brugg zugestiegen?« fragt er.

Die Philosophie der Maßnahmen

Hast du das gehört von Rinderknecht?«
»Was ist mit ihm?«
»Von den Maßnahmen betroffen.«
»O Gott! Woher hast du das?«
»Gerspach.«
»Und woher hat es der?«
»Feldner. Und der hat es von ihm persönlich.«
»Von wem persönlich?«
»Von Rinderknecht persönlich.«
»Sag bloß, er selbst ist auch schon informiert.«
»Seit drei Tagen.«
»Und erzählt es bereits weiter?«
»Hat es Feldner im Vertrauen erzählt. Die beiden sind befreundet.«
»Und Feldner erzählt es Gerspach weiter?«
»Seine Art, damit fertigzuwerden.«
»Okay. Damit muß Rinderknecht rechnen, wenn er es rumerzählt.«
»Hat er wohl auch.«
»Hat es zumindest in Kauf genommen.«
»Da kann er gleich einen Anschlag im Lift machen.«
»Ich finde, Entlassungen gehören zur Intimsphäre, sobald es sich um die eigene handelt.«

»Hat etwas Exhibitionistisches.«

»Und etwas Vorwurfsvolles. Als ob wir uns dafür entschuldigen müßten, in ungekündigter Stellung zu sein.«

»Manche Leute suchen halt die Fehler immer bei den anderen.«

»Dazu neigte Rinderknecht, ehrlich gesagt, schon vor den Maßnahmen.«

»Wohl einer der Gründe, daß sie ihn treffen.«

»Würde mich jedenfalls nicht wundern.«

»Wenn er einen Hauch Teamgeist besäße, würde er seine Kollegen nicht mit seiner Kündigung belasten.«

»Wird er wenigstens freigestellt, oder müssen wir das bis zum bitteren Ende über uns ergehen lassen?«

»The Long Goodbye.«

»Dieses überstürzte Miteinbeziehen der Direktbetroffenen kann ganze Abteilungen lahmlegen. Solange nur die Unbeteiligten eingeweiht sind, kann man denen, die die Maßnahmen treffen, viel unbefangener gegenübertreten.«

»Aber wie begegnet man einem, von dem man weiß, daß er es weiß?«

»Noch schlimmer: von dem man weiß, daß er in Kauf nimmt, daß man weiß, daß er es weiß.«

»Am besten, man gibt sich ahnungslos.«

»Und wenn er einen darauf anspricht?«

»Auf die Maßnahmen? So weit würde er nicht gehen.«

»Da wär ich mir nicht so sicher. So wie der seine Schamgrenze steckt.«

»Zeugt von verdammt wenig Taktgefühl, dieser Drang, seine Mitmenschen ständig an ihre eigene Kündbarkeit zu erinnern.«

»Manche überleben genau dadurch. Hildegard Knef.«
»Nicht die altruistischste Art zu überleben.«
»Es gibt keine altruistische Art zu überleben.«
»Tja, und so treffen die Maßnahmen uns alle.«

Die Frau hinter Willimann

Falls Zuber Willimann vorgezogen wird, dann bestimmt nicht wegen ihr. Sie hat ihre Hausaufgaben gemacht: zwei Weinseminare, eines für Einsteiger, eines für Fortgeschrittene; fünf Kochkurse, darunter Thai und Sushi; »Tafel-Freude«, Einführung in die Tischdekoration in drei Lektionen (jeweils donnerstags), Konversationskurse in Französisch und Englisch; Farbberatung (sie ist »Winter«, mit »Herbst« im Aszendenten); Schminkseminar nach Kate Miller, der Visagistin von Liz Taylor; Tai Chi, Ginseng, Gingko, Nachtkerzenöl.

Der Ball liegt jetzt bei Willimann. Der spielt seine Stärken aus: strategisches Planen, strukturelles Denken, analytisches Vorgehen, Flexible response und Marianne. Vor allem der letzte Trumpf läßt Zuber schlecht aussehen: Er ist geschieden! Schuldig. Eine Frauengeschichte. Das wirft ihn natürlich weit zurück im Rennen um die Regionaldirektion. Hoffnungslos weit, wenn Sie Willimann fragen. Denn wie will einer die privaten Repräsentationspflichten eines Regionaldirektors erfüllen ohne das partnerschaftliche Backup einer gastgeberisch geschulten Partnerin?

Willimann erhöht ganz unmerklich die Kadenz der abrechenbaren Privatbewirtungen. Marianne schmeißt eine

Spaghettata mit sechs Sorten Sugo (tutti fatti in casa) für einen Türrahmenfabrikanten und seine welsche Frau (Tischsprache: le français!), und Willimann lädt dazu als interne Zeugen Gerschwiler und Frau ein, auf dessen Mitteilungsbedürfnis er sich blind verlassen kann.

Marianne verblüfft den Entscheidungsträger eines potentiellen Großkunden (EDV) und dessen japanische (!) Frau mit einem Sushi-Abend (English spoken). Interne Zeugin: Frau Piccand (mit Gatte), Wiesners Assistentin, mit der sie sich längere Zeit und sachkundig über tibetanische Klangschalen unterhält. Ein triumphaler Abend.

Dann hält Willimann die Zeit reif für den Fangschuß. Er läßt Marianne eine Weindegustation arrangieren für eine gemischte Gruppe ex- und interner Kader, darunter Wiesner himself (mit Frau) und – Zuber (bedauerlicherweise ohne).

Marianne übertrifft selbst Willimanns kühnste Erwartungen. Kreiert olfaktorische Umschreibungen für die degustierten Weine (»sonnenbeschienenes Kastanienlaub«, »Schweinslederabrieb«, »Apfelwähe vom Vortag«), läßt Wiesner wie den großen Weinkenner aussehen (Wiesner, der mit Mühe Wein von Bier unterscheiden kann!), erlöst Frau Wiesner durch eine beiläufige Reiki-Behandlung von einer schmerzhaften Verspannung im Schulterbereich und führt Zuber vor wie einen dressierten Pudel: flirtet mit ihm, wickelt ihn nach Belieben um jeden Finger und demaskiert ihn vor Wiesner als den labilen, hormonbestimmten, repräsentationsuntauglichen Schürzenjäger, der er ist.

Es kommt so, wie Willimann es vorausgesehen hat: Die Frau hinter Willimann entscheidet das Rennen um die Regionaldirektion.

Sie wird die Frau hinter Zuber.

Sandra Segmüllers Frauenbonus

Guess what: Segmüller löst Bürgy ab.«

»Sandra Segmüller?«

»Ebendiese.«

»Aber Sandra Segmüller ist doch…«

»Eine Frau. Na und?«

»Bürgy ist aber Mitglied des Direktoriums.«

»Eben. Sandra Segmüller wird die erste Frau im Direktorium.«

»Auf wessen Mist ist denn diese Schnapsidee wieder gewachsen?«

»Kannst du dir ja denken.«

»Spahn?«

»Eher Spahns Frau. Sie ist militant.«

»Ach, woher weißt du das?«

»Wir kaufen im gleichen Supermarkt ein.«

»Du und Spahns Frau?«

»Ich und Spahn.«

»Ach, so eine.«

»Er rettet seinen Ehefrieden, und wir müssen uns mit der Segmüller im Direktorium herumschlagen.«

»Glaubst du, sie wird weiterhin diese Business-Anzüge für die elegante Karrierefrau tragen?«

»Weshalb sollte sie nicht?«

»Jetzt, wo sie endlich eine Managerin ist, muß sie ja nicht mehr aussehen wie eine.«

»Aber die Beine. Die werden durch die Beförderung auch nicht schöner.«

»Hihi.«

»Jetzt lachst du noch. Aber die wird ihr Aussehen kompensieren.«

»Stimmt. Und sie wird es an uns auslassen.«

»Schon deshalb sind mir Männer im Management lieber. Von denen wird nicht auch noch erwartet, daß sie hübsch sind. Frauen stehen da viel mehr unter Druck.«

»Da bin ich mir nicht so sicher. Wenn es für eine hübsche Frau leichter wäre, in die obere Führungsebene vorzustoßen, warum gibt es dort nicht mehr Frauen?«

»Man darf es ja nicht mehr laut sagen, aber eine hübsche Frau hat es nicht so nötig, in die obere Führungsebene vorzustoßen.«

»Da ist was dran.«

»Stell dir vor, wie durchtrieben eine Frau sein muß, die das schafft, obwohl sie ausschaut wie Sandra Segmüller.«

»Du wirst sehen, der Tag kommt, an dem wir uns Bürgy zurückwünschen. Obwohl der weiß Gott kein Honiglecken war.«

»Für Bürgy muß das auch nicht einfach sein.«

»Was?«

»Eine Stelle bekleidet zu haben, die auch von einer Frau ausgefüllt werden kann.«

»Das wird sich noch herausstellen, ob sie sie ausfüllt.«

»Bürgy wird es ihr jedenfalls nicht leichtmachen.«

»Niemand wird es ihr leichtmachen. Du etwa?«

»Natürlich nicht. Gleichbehandlung wollte sie, Gleichbehandlung wird sie bekommen.«

»Uns behandelt ja auch niemand bevorzugt.«

»Im Gegenteil: Man setzt uns ungefragt eine Frau vor die Nase.«

»Nur weil da oben ein paar Pantoffelhelden beweisen wollen, daß sie Frauen nicht diskriminieren.«

»Das kann ja heiter werden, Susi.«

»Das kannst du laut sagen, Annette.«

Bohnenblust, der Job und die Liebe

Bohnenblust ist ein liebender Gatte und guter Liebhaber. Wenn auch seit längerer Zeit kein praktizierender. Aber das hat mit seinem Job zu tun.

Man kommt heim, völlig ausgelaugt von vierzehn Stunden decision making oder übervoll von Siegen und Niederlagen, die man ja mit jemandem teilen muß, jemandem, dem man blind vertrauen kann, in seinem Fall Vreni, und da hat man einfach nicht mehr die Kraft oder die Stimmung für das Körperliche. Das gilt übrigens für beide, das räumt Vreni ein. Vreni, die ja, auch das räumt sie ein, ihrerseits ebenfalls ihre Phasen durchlief, da sie andere Prioritäten setzte. Sie ist ja nicht gerade das, was man als sinnliche Frau bezeichnen würde, wer weiß, sonst hätte Bohnenblust sich auch nicht so weit entwöhnt, es braucht immer zwei, aber es geht hier nicht um Schuldzuweisungen.

Jedenfalls ist man jetzt an einem Punkt, wo etwas unternommen werden muß, das sieht er ein, es geht um den Fortbestand der Ehe. Man ist erst etwas über Vierzig, da muß es noch *knistern* in einer Beziehung, sonst wirkt es sich auf die Gesamtperformance aus, das sagt auch der Seminarleiter.

Bei Bohnenblust geht es, wie übrigens bei allen Seminarteilnehmern – tut gut zu sehen, daß man nicht der einzige ist –, ums *Loslassenkönnen.* Beziehungsweise ums *Nicht-loslassenkönnen.* Dieses ständige Gefühl, alles unter Kontrolle haben zu müssen, was ja im Management eine wünschenswerte Attitüde ist, ist im Sexuellen auf die Dauer kontraproduktiv. Die Kunst ist nun, das eine mit dem anderen zu vereinbaren, nicht, was die meisten tun, sich zwischen dem einen oder dem anderen zu entscheiden.

Darum geht es im wesentlichen in diesem Seminar. Deswegen machen sie hier vor allem *Übungen,* bei denen es sich ums *Loslassen,* ums *Sichgehenlassen* dreht. Zum Beispiel *abseilen,* natürlich einwandfrei gesichert. Die ganze Gruppe versammelt sich am Rand eines etwa dreißig Meter tiefen, überhängenden Felsabbruchs, und einer nach dem andern wird – unter kundiger Führung – abgeseilt. Der Moment, wo Bohnenblust sich – mit Helm und allem – am Felsabsprung in Rücklage begibt und spürt, wie die Seile Klettergürtel und Sitzgurt spannen, die Sekunde, wo seine Füße ihren Halt verlieren und er über dem Abgrund baumelt, sich auf Gedeih und Verderb der Kraft und der Erfahrung des durchtrainierten Bergführers Alois übereignend, der Moment, wo er dem sicheren Boden entgegenschwebt, dieses Ausgeliefertsein einem einzigen Mann, darum geht es dem Seminarleiter, darum geht es Bohnenblust und letztlich auch Vreni zu Hause.

Oder der Bauchtanz. Dreißig obere Kader zwischen Vierzig und Sechzig, alle mit dem gleichen Problem, alle in ihren Trainingsanzügen auf der Sonnenterrasse oder bei schlechter Witterung im großen Seminarraum, geben sich den aufpeitschenden Klängen marokkanischer Trommeln und Flöten und der aufmunternden Stimme des Seminar-leiters hin, lassen sich gehen, lassen mit geschlossenen Augen ihre Becken kreisen, kreisen, kreisen, kreisen.

Ein total geiles Bild, von dem Bohnenblust spürt, daß er es zu Hause bei Vreni jeweils wird abrufen können.

Schatten eines Kadermeetings 1

Als Denise Breitenstein den Fernseher abschaltet, hört sie über sich ein Poltern. Sie schaut auf die Uhr: Viertel vor elf, die Kinder sollten längst schlafen.

Sie geht die Treppe hinauf in Dimitris Zimmer. Vorsichtig sucht sie ihren Weg durch das Minenfeld aus Legobauten und Spielzeugautos bis zu seinem Bett. Dimitri hält Schnufi, den unhygienischen Teddybär, fest im Schwitzkästchen und schläft tief.

Auf dem Weg zu Geraldines Zimmer hört sie das Poltern wieder. Es kommt aus dem Elternschlafzimmer. Kurt? Sie geht zur Tür und öffnet sie einen Spalt.

Breitenstein steht vor dem langen Spiegel neben dem Schminktisch. Er hat die Hände anmutig in die Seiten gestützt, an der Stelle, wo früher einmal seine Taille war, und schiebt abwechselnd die linke und die rechte Schulter vor. Den Mund hat er zu einem breiten Grinsen verzogen, das Denise Breitenstein an Jack Nicholson in *Shining* erinnert. Sie findet nicht den Mut, ihn anzusprechen.

Im Rhythmus seiner Schulterbewegungen stößt er etwas zwischen zusammengebissenen Zähnen hervor. Vielleicht zählt er, denkt Denise. Und richtig: Bei einem Zischlaut, der wie »acht« klingt, geht Breitenstein in die Knie, springt hoch, spreizt in der Luft Arme und Beine und schlägt unabgefedert auf dem Teppich auf, lange bevor er sich auf die Landung vorbereiten kann. Breitenstein grinst tapfer weiter. »Undeins, undzwei, unddrei, undvier«, zischt er. Er bildet mit Zeige- und Mittelfinger beider Hände zwei Victory-Zeichen und läßt sie vor seinem gespenstischen Grinsen tanzen wie zwei Scheibenwischer bei schwerem Niederschlag. »Yeah!« keucht er.

Denise Breitenstein schließt leise die Tür, geht auf Zehenspitzen in die Küche hinunter, mixt sich eine White Lady mit einem Extraschuß Gin und zieht Bilanz.

Kurt Breitenstein ist ein guter Mann gewesen. Nicht gerade ein Beau, nicht gerade ein Charmeur, nicht gerade ein Alleinunterhalter. Aber fleißig, anständig und erfolgreich genug, um sich ein paar Fehler erlauben zu dürfen. Das Haus ist bezahlt, soweit das steuertechnisch vernünftig ist. Sie konnten sich Ferien leisten, in denen sie nicht kochen mußte. Er ist ein guter Vater und akzeptabler Liebhaber gewesen – wenn er jetzt überschnappt, kann sie ihm keinen großen Vorwurf machen.

Die letzten Monate waren etwas schwer für ihn gewesen. Die Neubesetzung der Unternehmensspitze, die Restrukturierung, die Positionskämpfe hatten Substanz gekostet. Jetzt, im Rückblick, fallen ihr starre Blicke, lautloses Bewegen der Lippen und Summen seltsamer Melodien in unbeobachteten Momenten auf.

Sie macht sich noch eine White Lady, dann geht sie ins Bett, entschlossen, ihm zu helfen, falls nötig.

Breitenstein stellt sich schlafend. Sie löscht die Nachttischlampe und horcht auf seinen Atem. Nach einer Stunde flüstert sie: »Wenn ich dir irgendwie helfen kann…«

»Das Kadermeeting. Wälchli will mit uns eine Tanz-nummer einstudieren.«

»Wozu denn das?« fragt Denise.

»Motivation«, schluchzt Breitenstein.

Eine Tanznummer einstudieren zur Motivation?« fragt Denise Breitenstein. Sie ist nicht sicher, ob sie richtig gehört hat.

Kurt Breitenstein kann nicht antworten. Er nickt in die Dunkelheit des Elternschlafzimmers und versucht die Fassung wiederzuerlangen.

»Motivation von wem – wenn man fragen darf?«

Breitenstein gelingt es, »Mitarbeiter« hervorzubringen.

»Wie soll das die Mitarbeiter motivieren, wenn Wälchli mit euch beim Kadermeeting eine Tanznummer einstudiert?« erkundigt sich Denise.

Breitenstein stößt einen tiefen Seufzer aus. »Es wird gefilmt.«

Denise Breitenstein macht Licht. Kurt hat sich freigestrampelt und liegt mit hochgerutschtem Calida und weitaufgerissenen Augen auf dem Rücken. Kein schöner Anblick. Sie versucht ihn sich in einer Tanznummer der oberen Kader vorzustellen und versteht jetzt seine Beunruhigung.

Zwischen kleinen Schlückchen heißer Honigmilch rückt Breitenstein mit folgender Geschichte heraus: Wälchli hat sich gegenüber Wagner am Rande eines Anlasses der Offiziersgesellschaft begeistert über Jeff Katz geäußert, der sein Kader dazu gebracht hat, als Blues Brothers verkleidet eine Musical-Nummer einzustudieren und dazu »One group, one team, one spirit« und »Let's rock, let's roll – Swissair« zu singen und davon ein Videoclip zur Motivation der Belegschaft herzustellen. Jetzt rät Wagner, sich für die Tagung ›Kemmeriboden-Bad‹ auf das Äußerste gefaßt zu machen.

Denise malt sich das obere Kader der Wälchli & Co. als Videoclip aus. »Untergräbt das nicht eher die Autorität?«

»Das habe ich Wagner auch gefragt. Er sagt, über die Vorgesetzten lachen sei schon immer die beste Motivation für Untergebene gewesen.«

Einen Moment schweigen beide. Dann fragt Breitenstein zaghaft: »Was würdest du tun?«

»Kopfschmerzen vorschützen.«

»Das gilt nicht beim oberen Kader.«

»Dann mußt du tanzen lernen.«

Eine Viertelstunde später tanzt Kurt Breitenstein zu der aus Rücksicht auf die schlafenden Kinder gedämpften Musik von »Oh, Calcutta!«. Denise, aus deren Frauengut die Platte stammt, liefert die choreografischen Anweisungen. Sie war früher einmal eine recht gute Tänzerin gewesen, hatte aber das Tanzen aufgegeben, als sie Breitenstein kennenlernte. Er bewegte sich schon mit sechsundzwanzig auf dem Parkett wie ein älterer Herr, der seiner jungen Partnerin seine Rüstigkeit beweisen will. An seinem Vierzigsten, als er sich in einer Art Rock 'n' Roll produzierte, hatte sie ihm ins Ohr geflüstert: »Ab vierzig sollten weiße Männer, sofern sie nicht Fred Astaire heißen, nur noch geschlossen tanzen.« Mit jedem Schritt, jedem

Schlenker und jedem Hüpfer bewies er ihr nun, wie recht sie damit hatte.

Zwei Stunden später, Denise will gerade das Handtuch werfen, passiert es: Breitenstein steht auf einem Bein, die Hände in die Hüften gestützt. Da ruft sie: »Links, pardon, rechts!« Ob aus Versehen, Intuition oder Barmherzigkeit läßt sich hinterher nicht mehr feststellen. Jedenfalls flüstert ihr Breitenstein »Danke« zu, als der Arzt den Kreuzbandriß diagnostiziert.

Feusi motiviert mit Fußball

Wenn er ganz ehrlich ist, kann Feusi nichts mit Fußball anfangen. Aber mit absoluter Ehrlichkeit war gerade auf dem Gebiet der Motivation noch nie viel anzufangen. Die Gelegenheit, etwas von dem Gemeinschaftsgefühl, das die Fußballweltmeisterschaft mobilisiert, für das Unternehmen abzuzweigen, läßt sich einer wie Feusi nicht entgehen. Während der WM kehrt er den Fußballfan heraus.

An einem Management-Meeting ruft er die gute Frau Breiter herein und gibt ihr den Auftrag, in Erfahrung zu bringen, wie es bei Belgien – Südkorea steht. Frau Breiter kann Geburtstagsgeschenke für seine ganze Familie aussuchen, den begründeten Verdacht seiner Frau zerstreuen, Feusis Wochenende in Stockholm sei nicht nur geschäftlicher Natur, oder ihn, ohne rot zu werden, am Telefon verleugnen, während er daneben steht. Aber jetzt muß sie fragen: »In welcher Angelegenheit?«

Feusi wirft einen Blick in die Runde und stöhnt: »Fußball, natürlich, mein Gott, wo leben Sie?«

Die Nummer zeigt die gewünschte Wirkung. Rauh sagt: »Wußte gar nicht, daß Sie sich für Fußball interessieren.« Was Feusi die Gelegenheit gibt zu antworten: »Es gibt noch ein paar andere Dinge, die Sie nicht wissen.« Worauf er die Sympathien der übrigen Runde gleich doppelt auf seiner Seite hat.

Ermutigt durch diesen erfolgreichen Testlauf beginnt er die Fußball-Motivationsschiene auf das mittlere und untere Kader zu applizieren. »Der japanische Fußball ist besser als sein Ruf«, erklärt er einem überrumpelten Regionalvertreter im Lift. Und bei einem scheinbar zufälligen Rundgang durch die Disposition probiert er mehrmals das »Spiele wie England – Argentinien dürften in meinen Augen keinen Sieger haben.« Den Satz hat er auf der Fahrt ins Büro aus dem Autoradio aufgeschnappt.

Feusi spürt förmlich, wie der Abstand zu seinen Untergebenen schrumpft und ein neues Zusammengehörigkeitsgefühl durch die Gänge weht. Er geht noch einen Schritt weiter und ordnet die Aufstellung eines Fernsehers im großen Sitzungszimmer an. Fest entschlossen, dem Gemeinschaftserlebnis Fußball ein paar Arbeitsstunden zu opfern und bei dieser Gelegenheit vor versammeltem Personal etwas Fachwissen und Basisnähe zu demonstrieren.

Während des ersten Gemeinschaftserlebnisses, es handelt sich um Frankreich – Italien, hört er Rauh hinter sich sagen, Frankreich renne gegen Italiens Catenaccio an, und blamiert sich mit der Frage: »Welche Nummer trägt Catenaccio?« Diese Scharte wetzt er aus, indem er bei jedem Angriff gleich welcher Mannschaft schreit: »Rauskommen, Goalie, rauskommen!«

Als das Gemeinschaftserlebnis in die Verlängerung geht und die Gemeinschaft in zwei Lager zu driften droht, schweißt er sie immer wieder zusammen mit dem Hinweis, es handle sich ja nur um ein Spiel.

Etwas kontraproduktiv wird der Motivationsanlaß dann allerdings, als Italien im Penaltyschießen verliert und Feusi dazu bemerkt: »Man muß halt die Tore in der Spielzeit schießen.«

Giovanni Pedrutti, der zweiundsechzigjährige, an sich gutmütige Magaziner, greift sich Feusi und verprügelt ihn.

Niemand aus der Gemeinschaft greift ein.

Auf dem Wirtschaftsparkett

Als Biland eintrifft, ist der Saal schon ziemlich voll. Er gesellt sich zu den freischwebenden Einzelgängern an der Peripherie und wartet darauf, daß ihn der Sog des Events erfaßt und ins Zentrum trägt. Er greift sich einen Orangensaft und setzt ihn an die Lippen. Während er trinkt, mustert er die Umstehenden. Sein Blick kreuzt den von Löffler. Er setzt das Glas ab und nickt ihm zu. Löffler nickt zurück. Die beiden treiben aufeinander zu, jeder darauf bedacht, nicht zu stark von seiner Umlaufbahn abzukommen. »So trifft man sich«, bemerkt Biland.

»Nicht wahr«, antwortet Löffler. Nicht gerade die hohe Schule des Small talks, aber sie geben sich auch keine besondere Mühe. Keiner nützt dem anderen etwas. Man hält sich nur eine Weile am anderen fest wie ein Schwimmer an einer Boje und wechselt ein paar Worte, während man die Umgebung nach wichtigeren Gesprächspartnern absucht.

»So, so, und sonst so?« fragt Biland und schaut an Löffler vorbei ins Gewühl. Nänni ist dort mit Grütter ins Gespräch vertieft. Eine günstige Paarung: Über Nänni, den er kennt, könnte er mit Grütter ins Gespräch kommen, den er gerne kennenlernen würde. »Na, dann noch viel *Vergnügen*«, seufzt er zu Löffler. Aber der ist auf einen Punkt hinter Biland konzentriert. Ein Grüppchen mit Fluri.

Das Paar Biland/Löffler löst sich anmutig und driftet auseinander. »Gut besuchter Anlaß«, bemerkt Biland, als er bei Nänni/Grütter andockt.

Nänni muß seinen Redefluß unterbrechen und »Abend, Herr Biland« sagen. Was Grütter zum Vorwand nimmt, »Abend allerseits« zu sagen und sich abzusetzen. Nänni mustert Biland angewidert, was dieser aber nicht bemerkt, weil seine Augen Grütter folgen, bis dieser dort untertaucht, wo sich die Veranstaltung zu einem vibrierenden Knäuel verdichtet.

Eine Weile finden sich Biland und Nänni miteinander ab. Jeder angelt sich ein Blätterteiggebäck vom Tablett eines Kellners und nimmt davon winzige Bißchen, um möglichst lange einen vollen Mund vortäuschen und sich auf das Geschehen konzentrieren zu können.

Biland macht Burren aus, dessen Augen suchend durch den Saal wandern, während Hefti ihm mit einem Kümmelgebäck etwas Wohldurchdachtes in die Luft malt. Noch während er sich überlegt, wie er sich von Nänni abseilen soll, deutet dieser auf sein leeres Glas und sagt: »Mal sehen, ob ich Nachschub finde«, und läßt Biland stehen. Der setzt sich sofort Richtung Burren/Hefti in Bewegung, damit es nicht aussieht, als habe Nänni ihn stehenlassen.

Als er die beiden fast erreicht hat, winkt ihm Burren, sagt etwas zu Hefti und steuert auf ihn zu. Biland, für den Burren nur der Vorwand war, sich von Nänni abzusetzen, überlegt sich, wie er Burren jetzt wieder los wird. Aber dieser grüßt ihn nur knapp und gesellt sich zu Lombardi, dem offenbar sein Winken gegolten hat.

Biland hat jetzt den innersten Kreis erreicht. Noch zwei

Stationen – Birr und Strupler –, und er hat sich endlich mitten ins Zentrum gehangelt.

»So trifft man sich«, begrüßt ihn dort Löffler, während seine Augen die Umgebung nach wichtigeren Gesprächspartnern absuchen.

Weidmanns Nachtgespräche

Wie findest du mich eigentlich?«

Regula Weidmann liest beim Licht der Nachttischlampe *Ein leidenschaftliches Leben,* die Biographie von Frida Kahlo. Die Art der Lektüre verbietet ihr, sich schlafend zu stellen und die Frage zu überhören. Sie antwortet ohne aufzuschauen. »Hm?«

»Wie du mich findest.«

Jetzt schaut Regula Weidmann von ihrem Buch auf. Kurt liegt mit offenen Augen auf dem Rücken, knapp außerhalb des Lichtkegels ihrer Lampe. Er sollte das Nasenhaarscherchen, das ich ihm geschenkt habe, öfter benützen, denkt sie. Sie versucht Zeit zu gewinnen.

»Wie meinst du das?«

»So wie ich es sage. Wie findest du mich?«

Regula Weidmann läßt das Buch auf die Bettdecke sinken.

»Warum fragst du das?«

»Einfach so. Es interessiert mich halt. Also: Wie findest du mich?«

»Du bist mein Mann.«

Einen Moment scheint er sich mit der Antwort zufriedenzugeben. Aber gerade als Regula ihr Buch wieder hochnimmt, sagt er: »Ich meine, objektiv.«

»Wir sind seit achtzehn Jahren verheiratet, da ist es schwer, objektiv zu sein.«

»Versuch es.«

Sie läßt das Buch wieder sinken und überlegt.

»Mußt du da so lange überlegen?« fragt Weidmann nach ein paar Sekunden. Er klingt etwas beleidigt.

»Du meinst so als Mensch? Ganz allgemein?«

»Nein, nicht als Mensch. Als Mann.«

Regula Weidmann schließt das Buch, behält aber einen Finger als Buchzeichen zwischen den Seiten. »Du meinst, so vom Aussehen?«

»Auch, ja.«

»Auch?«

»Und was so dazugehört: Ausstrahlung, Anziehungskraft, so Sachen.«

Weidmann dreht den Kopf zur Seite und schaut seine Frau an. Sein Gesicht liegt jetzt knapp innerhalb des Lichtkegels. Keine günstige Beleuchtung.

Regula Weidmann legt Frida Kahlo aufs Nachttischchen und dreht sich zu Kurt. Vielleicht ist jetzt der Moment, das Gespräch zu führen, das sie schon so lange führen will. Über die letzten paar Jahre, die letzten vier, fünf – ach, seien wir ehrlich: acht Jahre. Seit »Mitglied des Direktoriums«, genaugenommen. Als die Abende mit »Privatbewirtungen« zu Hause begannen. Stundenlang ovolactovegetarisch kochen für Gattinnen von Männern mit Einfluß auf niedrige Entscheidungen. Und später Damenprogramme mit Zoo- und Museumsbesuchen in Gesellschaft von Gattinnen von Männern mit Einfluß auf höhere Entscheidungen. Kurt, dem die Karriere immer wichtiger wurde, und sie immer gleichgültiger. Vielleicht ist jetzt der Moment, über all das zu reden.

»Ich bin froh, daß du das fragst«, beginnt sie behutsam. »Ich wollte auch schon lange darüber reden.«

»Die Frage läßt mich nicht mehr los«, gesteht Weidmann erleichtert. »Seit neue Untersuchungen bewiesen haben, daß attraktive Männer bessere Karrierechancen besitzen. Sei bitte ganz ehrlich.«

Regula Weidmann greift sich ihr Buch vom Nachttisch. »Du bist sehr attraktiv, Kurt. Ganz ehrlich.«

Ein abgewendeter Millionenverlust

In einer Pizzeria in guter Bürolage sitzen Vollenweider und Trösch vor einem Dreier Chianti und warten auf »einmal Cacciatore« und »einmal Garibaldi«. Das Lokal kann über Mittag die Tische zweimal verkaufen. Soeben hat die Einuhrschicht die Zwölfuhrschicht abgelöst.

»Jetzt geht es den Investmentbankern an den Kragen«, bemerkt Trösch.

Vollenweider nickt. Ihn hat diese Entwicklung nicht überrascht. »War zu erwarten.«

Trösch will nicht den Eindruck erwecken, als träfen ihn die Ereignisse auf dem Investmentbanking-Personalmarkt unvorbereitet. »Die Jungs haben es übertrieben. Vier Millionen Bonus und so Späßchen.«

»US-Dollar!«

»Das Gehalt nicht inbegriffen.«

»Spesen auch nicht.« Beide nehmen einen Schluck Chianti. Er hinterläßt einen ledernen Geschmack im Mund.

»Irgendwie schon hart«, sinniert Vollenweider. »Vier Millionen und dann plötzlich vor dem Nichts.«

Trösch zuckt die Schultern. »Wenn du ein paar Jahre zwischen vier und fünf Millionen abgeholt hast, stehst du wohl nicht plötzlich vor dem Nichts.«

»Da bin ich mir nicht so sicher.« Vollenweider winkt dem Kellner, der sich mit zwei Pizzas in den Händen suchend umschaut. »Zweimal Quattro Stagioni?« ruft er. Beide winken ab. Vollenweider nimmt den Faden wieder auf. »Vier bis fünf Millionen – us! – kannst du nicht einfach aufs Sparbüchlein tun. Die mußt du ein bißchen unter die Leute bringen. Sonst denken die, du glaubst nicht ans System.«

»Wenn du die Hälfte unter die Leute bringst«, wendet Trösch ein, »bleibt immer noch genug für die hohe Kante.«

Vollenweider wiegelt ab. »Du weißt ja, wie das ist. Dann baust du etwas für drei Millionen, und am Schluß kostet es fünf und ist so groß, daß du Personal brauchst. Und zu einem Haus mit Viereragarage paßt ein einziger alter Polo auch nicht richtig. Und die Bank schmeißt dir die Kohlen nach, und wenn du in diesem Jahr auch etwas zuviel ausgibst, im nächsten holst du das mit einem Extrabonus spielend wieder rein.«

Trösch weiß, wovon Vollenweider spricht. »Man setzt sich den Standard, und dann rennt man ihm nach.«

»So wie du dann wohnst, kannst du nicht nach Cattolica in die Ferien. Und die Frauen, mit denen deine Frau auf Einkaufsbummel geht, machen einen großen Bogen um Hennes & Mauritz.«

»Die sollen ja praktisch nur noch Kaviar gegessen haben, liest man.«

»Du kannst natürlich nicht absahnen wie ein Kapitalist und essen wie ein Arbeiter.«

»Cacciatore und Garibaldi.« Der Kellner legt die Pizzas falsch vor sie hin. Sie tauschen und beginnen zu essen.

»Das schaukelt sich hoch«, erklärt Vollenweider mit vollem Mund. »Je mehr du hast, um so mehr brauchst du.«

Trösch nickt. »Wem sagst du das.«

»Nur«, gibt Vollenweider zu bedenken, »wenn wir eines Tages vor dem Nichts stehen, müssen wir auf weniger verzichten.«

Sie bestellen keinen zweiten Dreier und kauen weiter an ihren Pizzas. Froh, sich auf keine Bonusse in Millionenhöhe – us! – eingelassen zu haben.

Das Frühstück der mittleren Kader

Draußen ist es noch dunkel, und ein kalter Nieselregen fällt. Es riecht nach Kaffee und Rasierwasser. In der Fensterscheibe spiegelt sich ein Mann. Er sitzt an einem Vierertisch, gegenüber sein Mantel, säuberlich über die Stuhllehne gefaltet. Neben sich hat er ein Papier liegen, von dem er nur aufschaut, wenn er sein Brötchen mit Honig bestreicht. Dann heftet er seinen Blick wieder auf das Papier. Die Hand mit dem Honigbrötchen führt er nicht zum Mund. Er läßt sie über dem Teller schweben, bewegt den Kopf zum Brötchen und beißt ein Stück ab. Die Augen verdreht er dabei bis zum Anschlag, um seine Lektüre nicht unterbrechen zu müssen.

Wie ein Wellensittich, denkt Kurt Vögeli, der den Mann am Fenstertisch spöttisch beobachtet. Er selbst nippt an einem Orangensaft von siruppartiger Konsistenz. Vielleicht hätte er doch den Grapefruitsaft nehmen sollen.

Drei Tische weiter sitzt noch einer allein an einem Vierertisch. Neben sich das Aktenköfferchen, in dem er ab und zu nestelt. Bestimmt ein Geschenk seiner Frau zur Prokura, denkt Kurt Vögeli. Der Mann hat ein Müesli gegessen, ist wieder zum Buffet gegangen und mit einem Teller Aufschnitt zurückgekommen. Obwohl er mit geschlossenem Mund ißt, erzeugt er ein schmatzendes Geräusch.

Schräg gegenüber an einem weiteren Vierertisch trägt einer einen Blazer mit Goldknöpfen. Das dünne Haar hat er sich füllig gefönt, obwohl sich in Dreisternehotels kein Haartrockner im Zimmer befindet, seine Schuhe sind auf Hochglanz poliert, obwohl der Schuhputzautomat außer Betrieb ist. Nur zwei Details stören das Gesamtbild: die Bartflechte, die knapp über seinem Kragen blüht, und die orangefarbene Dotterspur, die sich über die Schale seines weichen Eis und den Eierbecher zieht.

Drei Männer betreten den Frühstücksraum in aufgeräumter Stimmung, die sich sofort legt, als sie sehen, daß kein Vierertisch mehr frei ist. Sie mustern die einsamen Besetzer der Vierertische vorwurfsvoll und entscheiden sich für den Schmatzer. »Ist hier noch frei?« Der Schmatzer räumt beleidigt seinen Aktenkoffer weg, Wellensittich und Bartflechte atmen auf.

Mittlere Kader, denkt Kurt Vögeli. Die Männer, die die Wirtschaft am Laufen halten, indem sie Mittelklassewagen fahren, in Mittelklassehotels absteigen, mit anderen mittleren Kadern Vertragsentwürfe vorbereiten und dafür ein mittleres Einkommen beziehen. Sie arbeiten in mittleren Betrieben, tragen mittelgraue Anzüge der mittleren Preisklasse, machen Mittag in mittelmäßigen Restaurants und werden nach Mitternacht Bardamen gegenüber mitteilsam. Sie machen Ferien am Mittelmeer und geraten als Mittvierziger in eine Midlife-crisis, die sie mittels einer Mittzwanzigerin überwinden.

Mittlere Kader! Kurt Vögeli lächelt nachsichtig in sich hinein. Immer am Üben für die Rolle als obere Kader, die sie nie bekommen werden.

Er wischt sich das Eigelb von den Lippen, legt die rosa Klarsichtfolie mit dem Vertragsentwurf zurück ins Aktenköfferchen, das ihm seine Frau zur Prokura geschenkt hat, nimmt den Mantel vom Stuhl gegenüber und verläßt den Frühstücksraum. Ohne die mittleren Kader eines Blickes zu würdigen.

Hinter dem Class divider

Wenn ich der Firma 840 Franken sparen kann, indem ich hinter dem Vorhang Platz nehme, fällt mir kein Zakken aus der Krone«, hat Ochsner zu Frau Rouiller gesagt, als sie ihn auf den Preisunterschied zwischen dem Business- und dem Eco-Tarif aufmerksam machte. Beim Check-in bekommt er einen Fensterplatz in Reihe acht. Gleich hinter dem Class divider. Praktisch noch in der Business.

Der Class divider besteht aus einem Kunstfaserstoff in der Farbe eines ausgedienten Putzlappens, in den ein trostloses geometrisches Muster gewoben ist. An den Rändern und Nähten stehen Fusseln ab wie die letzten Haare eines uralten Rauhhaardackels. »Class divider« steht hämisch auf einem aufgebügelten Etikett. Der Divider baumelt keine zwanzig Zentimeter vor Ochsners Nase. Wenn die Passagierin eine Reihe und 840 Franken weiter vorne auf die Idee kommen sollte, die Rücklehne nach hinten zu kippen, hat er ihn voll im Gesicht.

Vielleicht, denkt Ochsner, gibt es Spezialisten für das Design von Class dividers. Es kann doch kein Zufall sein, daß in einem so durchgestylten Verkehrsmittel wie dem Flugzeug das Element, mit dem die Klassen voneinander getrennt werden, aussieht wie der Badezimmerteppich einer Männer-WG. Wahrscheinlich sind die gleichen Leute, die offizielle Abfallsäcke und Mitropa-Uniformen designen, zuständig für den Class divider. Er ist das Resultat breitangelegter Studien über die abstoßendste Materialbeschaffenheit, beleidigendste Farbgebung und erniedrigendste Anbringung. Der Class divider ist die wirksamste Waffe der Fluggesellschaften im Kampf gegen vernünftige Tarife. Das Ziel ihres Einsatzes ist die Abschaffung der Economy-Klasse.

Die Maschine startet, und die Unsicherheit über den Ausgang dieses Manövers hebt für ein paar Minuten alle Klassenunterschiede auf. Außer in Reihe acht, wo der Saum des Class divider während des ganzen Steigflugs genau auf Ochsners Kopf weist, als gälte er ausschließlich für ihn. Ochsner schaut unbeteiligt aus dem Fenster. Er blickt erst wieder um sich, als eine Flight attendant den Vorhang zur Business Class zuzieht, der während des Starts festgezurrt war. Jetzt erst bemerkt Ochsner den gestalterischen Höhepunkt des Class divider: ein schmutzigweißes Schild, auf dem in plumpen roten Lettern für Leseanfänger TOILETS AT THE REAR steht. Ochsner weiß, daß das eine Lüge ist. Sieben Reihen weiter vorn gibt es eine einwandfreie, kaum frequentierte Toilette. Die Perfidie der Inschrift besteht nicht darin, daß sie eigentlich bedeutet TOILETS FOR FILTHY ECONOMY PASSENGERS AT THE REAR, und auch nicht darin, daß sie sieben Reihen von der nächsten Toilette entfernte Passagiere wie Ochsner dazu zwingen will, an dreißig Reihen vorbei Spießruten zu laufen. Die eigentliche Perfidie besteht darin, daß sie ihn, der aus Gründen der ökonomischen Vernunft ausnahmsweise

Economy fliegt, zu einem stempelt, dem die Welt der Business Class für immer verschlossen bleibt und der folglich keine Ahnung hat, daß es dort vorne SEHR WOHL eine Toilette gibt.

Ochsner nimmt sich vor, für den Rückflug auf Business upzugraden.

Er läßt sich doch nicht verarschen.

Aus unserem Seminarangebot: Sinnlichkeit

Seminarleiter Erwin Dürr hat das Frotteetuch über die linke Schulter drapiert wie ein römischer Konsul. Diese Tragweise und der Umfang seines Bauches sind schuld daran, daß unter dem Frotteesaum viel von seinen dünnen Oberschenkeln sichtbar wird. Der runde, kahle Schädel und die wulstigen Lippen tragen zur Sinnlichkeit seiner Erscheinung bei. Er sieht aus, als ob er jederzeit Rom in Brand stecken könnte.

Die anderen Herren im irisch-römischen Bad sind überall dünn. Sie lesen mit ernsten Mienen die Gebrauchsanleitungen der verschiedenen Stationen und setzen ihre drahtigen Körper während exakt der vorgeschriebenen Zeit den Heißluft- und Dampfschüben des Parcours aus.

»Alle schwer disziplingeschädigt«, flüstert uns Erwin Dürr zu, »das sitzt unheimlich tief.«

Eine Masseuse arbeitet an einem hageren Endvierziger, der immer wieder auf die Wanduhr schielt, wie wenn er es nicht erwarten könnte, unter die kalte Dusche zu hüpfen.

»Das geht quer durch die Führungsebenen. Sie können einem richtig leid tun, die Sinnlichkeitswelle traf sie völlig unvorbereitet.« Erwin Dürrs Atem riecht nach dem trokkenen Walliser Weißwein, mit dem er sein Frühstück abgerundet hat. »Sie wurden darauf getrimmt, rational zu denken und zu entscheiden, und jetzt ist plötzlich Emotion gefragt.« Sein teilnahmsvoller Blick folgt zwei Chemiekadern, die im Zwanzig-Grad-Becken konzentriert ihre Längen schwimmen. »Das muß man sich einmal vorstellen: Ihr ganzes Leben haben sie den Bauch wegtrainiert, aus dem sie nun plötzlich entscheiden sollen.«

Dürr geht zum Becken und beugt sich zu einem der Schwimmer hinunter. Sie wechseln ein paar Worte. Als er zurückkommt, sieht er bekümmert aus. »Ich habe ihm gesagt, es sei viel angenehmer im Dreißig-Grad-Becken, aber er verweist auf das Schild, das zwölf Minuten im Zwanzig-Grad-Becken empfiehlt. Ihm fehlen noch dreieinhalb.«

Aus den versteckten Lautsprechern klingt Harfenmusik, vom Whirlpool dringt leises Gurgeln, sonst ist es still in der Anlage. Erwin Dürr wirkt entmutigt. »Alles Ausdauersportler, Kaltduscher, Wassertrinker und Ballaststofffresser.«

Eine junge Frau tritt an den Rand des Dreißig-Grad-Beckens, läßt ihr Frotteetuch fallen und nimmt sich viel Zeit, nackt ins warme Wasser zu gleiten. »Haben Sie gesehen? Keiner hat geschaut. Der Auftritt kostet mich dreihundert Franken, und keiner guckt hin!«

Im Eisbecken steht ein Mitglied eines Direktoriums mit blauen Lippen bis zum Hals im Wasser. »Höchstens eine Minute«, ruft ihm Dürr zu. »Höchstens!« Dann führt er uns zum Ruheraum. »Eines der Seminarziele ist, daß sie das Eisbecken ganz meiden.«

Im Ruheraum riecht es nach ätherischen Ölen. Er ist leer bis auf zwei schweigsame Bademeister, die vergebens darauf warten, die Seminarteilnehmer in heiße Tücher zu hüllen und ihnen Konfekt und Likör zu reichen. Dürr sinkt auf eine der Liegen.

Wir überlassen den Mann, der sich vorgenommen hat, die Sinnlichkeitsperformance unserer Entscheidungsträger auf ein konkurrenzfähiges Niveau zu bringen, den Bademeistern. Und seiner schweren Aufgabe.

Auch das noch: Das Menschenbild wackelt

Als ob Mumenthaler so kurz vor Weihnachten nicht schon genug Sorgen hätte: Verschiebung der Lohnrunde auf März, Bilanzharmonisierung, Besinnung aufs Kerngeschäft, Stufe III, jeden Abend Kundenapéros und Ruths Weihnachtsgeschenk. Aber nein, ausgerechnet jetzt muß einer kommen und das Menschenbild zum Wackeln bringen.

Dabei hat Douglas McGregor das schon vor 25 Jahren ein für allemal geregelt: Es gibt zwei Grundtypen, Theorie X und Theorie Y, und basta. X sind die Waschlappen und Y die mit Mumm in den Knochen, einfach ausgedrückt. Danach hat sich Mumenthaler, seit *The Human Side of Enterprise* erschien, immer gerichtet und ist jedenfalls nicht schlecht gefahren. Aber kein bißchen! Er hat ziemlich rasch gemerkt, daß es beide braucht und die Kunst des Human-resource-Managements darin besteht, die richtige Mischung hinzukriegen. Nach dieser Erkenntnis hat er den ganzen Laden strukturiert. Die *Mischung* muß stimmen. Nicht horizontal, unten die X und oben die Y, das machen viele falsch. Das muß durchzogen sein wie ein Marmorkuchen. Auf jeder Ebene ein paar Ypsilons in den Teig für die Dynamik. Und das bis oben in die Geschäftsleitung. Baumli X, Jäger X, Wildburger und Winter Y,

Meierhans X. Perfekt abgestimmt: Zwei Ypsilons, die sich gegenseitig neutralisieren, und drei X, die kuschen. Und darüber Mumenthaler, das Alpha-Ypsilon. Das weiß er aus Erfahrung. In Sachen Menschenbild kann ihm keiner was vormachen, dazu ist er schon zu lange im Geschäft.

Und jetzt, kurz vor den Festtagen, die sowieso den normalen Lauf der Dinge auf den Kopf stellen, in denen selbst die abgebrühtesten Y-Typen sentimental und die schlappsten X-Typen frech werden, kommt einer daher und schreibt: »Ich zwinge mich, davon auszugehen, daß wir ganz einfach nicht wissen, wie die Menschen wirklich sind.«

Super-Timing, Professor Malik! Wenn er die Veröffentlichung seines subversiven Gedankenguts wenigstens auf den engen und diskreten Kreis der Leserschaft seiner »MoM Management Letter« beschränkt hätte. Nein, er muß es auch noch als Leitartikel in *Alpha* veröffentlichen, der jede Woche von 1,239 Millionen Lesern und Leserinnen (X- und Y-Typen) verschlungen wird.

Daß die Entdeckung nicht von irgendwem stammt, sondern von einem Professor, der »in den letzten Jahren berufsbedingt mit vielen Menschen zusammengekommen ist« und »immer wieder Überraschungen erlebt«, sie also nicht nur wissenschaftlich, sondern auch in der Praxis erprobt ist, macht die Sache nicht besser. Mitten im Advent rüttelt Prof. Dr. Fredmund Malik die Öffentlichkeit mit der These auf, daß »X-Typen nicht immer in X-Stimmung sind und Y-Typen nicht immer Y-Leistungen erbringen«. Und fügt hinzu: »Auch die besten Leute sind nicht immer gleich gut drauf.«

Soll Mumenthaler an der nächsten Managementsitzung Baumli, Meierhans und Jäger fragen, ob sie in X-Stimmung sind? Und was antwortet er Wildburger oder Winter, wenn sie sagen: »Sorry, bin heute nicht so gut drauf«?

Kurz vor Weihnachten, wenn sich alles nach festen Werten sehnt, am seit Jahren gesicherten Menschenbild des Managements zu rütteln! Machen Sie sich auf einen gepfefferten Leserbrief von Mumenthaler gefaßt, Malik!

Das Gute in Zaugg

Über den Gassen glitzern die Weihnachtsgirlanden, und im Glanz der Vitrinen drängen sich die Passanten, mitten unter ihnen Zaugg, von niemandem beachtet außer von – Zaugg.

Soeben tritt er vom Trottoir, um einer alten Frau Platz zu machen, die sich mit ihren Einkaufstaschen durchzwängt. Wie sie ihn keines Blickes würdigt und wie er das mit einem nachsichtigen Lächeln quittiert, das allein hätte genügt, um das Bild, das sich der Kritiker von Zaugg macht, ins Wanken zu bringen. Aber die Szene wird von keinem voreingenommenen Kritiker von Zaugg beobachtet. Nur von Zaugg selbst, und der ist unvoreingenommen.

Hier geht, mitten unter Menschen, der Mann, von dem manche sagen, er habe dort, wo andere das Herz haben, ein Portemonnaie. Auch er mit klammen Händen, auch er mit laufender Nase, auch er mit einer Einkaufstüte zuviel und zwei Geschenken zuwenig. Einer von vielen, auch er, aber der einzige, der den Schritt vom Trottoir auf die Straße auf sich nimmt, um einer alten Frau Platz zu machen.

Kaum ist er zurück auf dem Trottoir, muß er wieder ausweichen. Diesmal einer jungen Mutter. In der Linken trägt sie drei Einkaufstaschen, an der Rechten führt sie ein kleines Mädchen, vielleicht drei, vier Jahre alt. Nicht nur, daß Zaugg den sicheren öffentlichen Gehweg ohne Zögern ein weiteres Mal verläßt, er blinzelt dabei sogar der Kleinen so lustig zu, daß die junge Mutter sie etwas fester an die Hand nimmt.

Zwinkert einer unbeobachtet kleinen Kindern zu, dem das Wohlwollen der Aktionäre wichtiger ist als das Wohl der Mitarbeiter? Nimmt einer mitten im Weihnachtsrummel wie selbstverständlich Rücksicht auf alte Frauen, der einer Strukturmaßnahme rücksichtslos Familienväter opfert? Wenn dies vermieden werden könnte? Nein, das Bild, das man sich von Zaugg macht, ist falsch. Wer den wahren Zaugg kennenlernen möchte, sollte ihn jetzt sehen können, im Trubel der letzten Vorweihnachtstage.

Wie er tief einatmet neben dem Marronistand, stehenbleibt und sich von den schwieligen Händen des Marronimannes hundert Gramm in eine Tüte füllen läßt.

Wie er geduldig wartet, bis zwei befreundete Ehepaare, die sich zufällig in einer Passage begegnet sind, ihre Begrüßung kurz unterbrechen, um ihn passieren zu lassen.

Wie er nicht eingreift, als die dicke Frau im Lederwarengeschäft bedient wird, obwohl er an der Reihe wäre.

Aber niemand ist da, der den wahren Zaugg kennenlernen möchte. Und Zaugg weiß auch, warum: Weil allen das Vorurteil lieber ist. Zaugg, der Jobkiller. Zaugg, der Lohndrücker. Bonus-Zaugg. Shareholder-value-Zaugg.

Und so treibt denn der wahre Zaugg unerkannt im Geschiebe der Weihnachtspassanten an den festlichen Auslagen vorbei.

An einer Ecke spielt eine Heilsarmeekapelle »Es ist ein

Ros entsprungen«. Zaugg bleibt stehen und lauscht der Melodie. Dann nimmt er etwas aus der Brieftasche und steckt es in den Sammeltopf. Niemand sieht, daß es fünfzig Franken sind. Außer einem: Zaugg, dem darüber eine Träne kommt.

Die natürlich wieder keiner sieht.

Das fängt ja gut an

Auf der Empfangsstation einer Engadiner Klinik liegt fröstelnd Fred Jucker und kann es immer noch nicht fassen: Sein Oberschenkel ist gebrochen.

Seit 1961 fährt er unfallfrei Ski, goldenes Skiabzeichen bereits mit sechzehn, jugendlicher Sieger mehrerer Gästeskirennen in den späten sechziger Jahren, Tiefschneekönig seiner Batterie als Oberleutnant der Gebirgsartillerie, und jetzt das: Oberschenkel gebrochen. Auf der Treppe der Seilbahnstation ausgerutscht, vor den Augen eines vorwiegend jugendlichen Publikums aus übernächtigten Snowboardern und gelangweilten Nachwuchs-Top-Models die sechs Stufen runtergepoltert und liegen geblieben wie ein Sack Zement.

Als sich der Applaus der Snowboarder gelegt hat und Jucker keine Anstalten macht aufzustehen, alarmiert der Kassierer den Pistendienst und dieser einen Krankenwagen. (Der Unfall hatte sich in der Talstation ereignet.)

Der junge Arzt in der Aufnahme diagnostiziert einen Oberschenkelbruch. »Sind Sie sicher?« fragt Jucker durch zusammengebissene Zähne.

»Ziemlich. Die Diagnose eines Oberschenkelbruchs gehört seit Wilhelm Conrad Röntgen zu den einfacheren Aufgaben des Osteologen.«

Jucker faßt sofort eine Abneigung gegen sarkastische, braungebrannte Assistenzärzte in Gebirgskliniken. »Was schlagen Sie vor?«

»Operieren.«

»Geht nicht, ich reise morgen ab.«

Der Arzt schüttelt den Kopf. »Ich fürchte, das müssen Sie verschieben.«

»Verschieben?« Jucker lächelt nachsichtig. »Sie verstehen nicht. Ich habe eine Firma zu leiten. Am Montag um halb acht muß ich im Büro sein.«

»Ich glaube, Sie sind es, der nicht versteht. Ihr rechter Oberschenkel ist gebrochen.« Der Arzt hält eine Röntgenaufnahme gegen das Licht. »Sehen Sie diese zwei Knochen?« Er zeigt mit dem Kugelschreiber auf zwei längliche, bläuliche Umrisse. »Das sollte eigentlich nur einer sein.«

»Ich zweifle überhaupt nicht an der Diagnose.« Juckers Geduld geht zur Neige. »Nur was die Therapie angeht, da müssen Sie mir schon ein paar praktikablere Vorschläge liefern.«

Der Arzt schaut ihn ungläubig an.

»Vielleicht kann man etwas Provisorisches machen«, hilft Jucker, »und das Definitive so legen, daß es nicht meinen ganzen Terminkalender durcheinanderbringt. Sie haben keine Vorstellung, was in einem Unternehmen wie dem unseren zum Jahresbeginn alles anfällt. – Verschieben!« Juckers Auflachen geht in einen Schmerzensschrei über.

»Was verstehen Sie unter etwas Provisorischem?«

»Spritzen Sie mich fit, geben Sie mir Morphium, einen

Notverband, einen Gehgips. Was weiß ich, Sie sind der Arzt.« Jucker ist es gewohnt, die Details an die Spezialisten zu delegieren.

»Niemand ist unentbehrlich.« Der Satz ist tröstlich gemeint. Aber er trifft Jucker so tief in seinem Selbstverständnis, daß er sich zu einer unbedachten Antwort hinreißen läßt.

»Das gilt vielleicht für Sie«, stößt er hervor.

Seitdem liegt Fred Jucker fröstelnd auf der Empfangsstation einer Engadiner Klinik und kann es immer noch nicht fassen: Sein Oberschenkel ist gebrochen.

Grünenfelder verstehen

Limacher und Zweidler kennen sich schon lange. Früher waren sie harte Konkurrenten im Karriere-Ring. Aber seit vielen Jahren schweißt sie der Haß auf Grünenfelder zusammen. Der Mann, der ihnen vorgezogen worden war, hat zwischen ihnen eine Art Freundschaft gestiftet. Auch wenn diese nicht weit über das Gebiet ihres einzigen gemeinsamen Interesses, Grünenfelder, hinausreicht.

So versteht es sich von selbst, daß es um Grünenfelder gehen muß, als Limacher kurz vor Feierabend Zweidler anruft, ob er Zeit für einen Schoppen im ›Rapalli‹ habe.

Im ›Rapalli‹ herrscht um diese Zeit lärmiger Apérobetrieb. Ideal für eine Unterhaltung, die nicht für fremde Ohren bestimmt ist. Zweidler sieht Limacher sofort an, daß er etwas Besonderes auf Lager hat. Er hat diesen triumphierend geheimnisvollen Ausdruck, der ihn daran erinnert, weshalb ihm Limacher früher so auf den Wecker ging. Aber als der endlich herausrückt, vergißt er es augenblicklich wieder.

»Erinnerst du dich an Mathys?«

Zweidler erinnert sich.

»Mathys in einer Apotheke, viele Leute vor ihm, Grippezeit. Wie er so wartet, bis er dran ist, sieht er, wie vor ihm einer dem Apotheker stumm ein Rezept entgegenstreckt. Der reicht ihm eine Packung, die Mathys aus den Medien kennt: Viagra. Der Typ steckt die Schachtel diskret in die Manteltasche, bezahlt und geht hinaus, ohne aufzuschauen. Aber Mathys erkennt ihn.« Limacher lehnt sich zurück.

»Grünenfelder?« rät Zweidler.

Limacher nickt glücklich.

Zweidler läßt die Neuigkeit auf sich einwirken. »Das erklärt einiges«, sagt er schließlich.

»Habe ich auch gesagt. Alles. Die zwölf Zylinder, die Havannas, die Karrieregeilheit.«

»Die Überstunden«, ergänzt Zweidler. »Möglichst spät nach Hause und möglichst früh ins Büro. Klassisch.« Und nach einer Pause: »So, so. Grüni. Impotent. Das muß man sich auf der Zunge zergehen lassen. Im-po-tent.«

»Aber im Büro den großen Macker raushängen.«

»Hängen ist das richtige Wort, hehe.«

»Hehe.« Sie bestellen noch zwei Bier. Jeder lächelt in sich hinein, bis es gebracht wird. Sie stoßen an. »Auf Grünenfelder«, sagt Limacher. »Dreimal HOCH«, ergänzt Zweidler. Beide verschlucken sich.

»Impotenz sei anscheinend meistens ein Mangel an Phantasie«, bemerkt Limacher, als er wieder sprechen kann.

»Womit auch diese These ERHÄRTET wäre«, bringt Zweidler heraus, bevor der nächste Lachanfall sie außer Gefecht setzt.

So kugeln sie sich über eine Stunde. Als sie erschöpft die letzten zwei Bierchen »for the road« bestellen, sind sie sich darüber einig, daß Grünenfelders beruflicher Erfolg einzig auf die Kompensation seines Problems zurückzuführen ist. »Wenn er ihn hochbrächte, wäre jetzt einer von uns an seiner Stelle«, schließt Zweidler.

Jeder hängt einen Moment dieser Vorstellung nach. Dann fragt Limacher: »Und wenn das Viagra wirkt?«

Als Zweidler und Limacher das ›Rapalli‹ verlassen, nehmen sie sich heimlich vor, zum anderen in Zukunft wieder etwas auf Distanz zu gehen.

Das Phänomen Nefzger

Dem Laden geht es eigentlich gut. Unter der Leitung von Dürst wurde das Qualitätsproblem gelöst, und Burgherr hat den Innovationsrückstand in den Griff bekommen. Bargetzi hat endlich die EDV-Lösung zum Laufen gebracht, dank Tschanen klappt die Logistik wieder, und Marketing/Verkauf sind seit Merk nicht wiederzuerkennen. Das Management ist gut eingespielt und zuversichtlich, daß sich ihre Arbeit in der nächsten Bilanz bemerkbar machen wird.

Und jetzt gehen die und holen Nefzger.

Nefzger ist ein Fossil aus der Zeit, als Turnaround-Manager Mode waren. Er war einer von denen, die Firmen dadurch sanierten, daß ihnen der Ruf vorausging, sie könnten Firmen sanieren.

»Betrachten Sie es nicht als Kritik an Ihrer Arbeit, meine Herren«, sagt der Delegierte bei der Management-sitzung, als er ihnen den Beschluß beichtet, »der Mann war zu haben, und es wäre im Hinblick auf die Zukunft unklug, auf solch ein brachliegendes Potential zu verzichten.«

»Brachliegendes Potential, ha!« brummt Bargetzi später im ›Old Bailey‹, wo er und Burgherr und Tschanen und Merk sich vom Schock erholen. In der Branche, also bei den Leuten, die wirklich etwas vom Handwerk verstehen, gilt Nefzger nämlich schon lange als Niete. Bei vielen schon immer. Es waren die Medien, die ihn zum Super-Sanierer hochgejubelt hatten. Und weil Verwaltungsräte mehr Zeitung lesen als Bilanzen, konnte Nefzger lange ganz gut von diesem Ruf leben. »Und tut es noch«, stöhnt Merk.

Etwas weniger verbittert, aber um einiges betrunkener als vor drei Stunden verlassen sie das ›Old Bailey‹ mit dem Vorsatz, Nefzger zu zeigen, wie überflüssig er ist.

Aber das erweist sich als nicht ganz einfach. Der Aktienkurs reagiert auf die Nachricht von Nefzgers Engagement mit einem deutlichen Rückgang. Einem Unternehmen, das Nefzger holt, kann es nicht gutgehen. Der Einbruch schwächt die Position des bisherigen Managements, das jetzt, anstatt offen Front gegen den neuen Mann zu machen, das Maul hält und möglichst unauffällig seinen Job erledigt.

Und den machen Bargetzi, Burgherr, Tschanen und Merk weiterhin gut. Vielleicht sogar noch eine Spur besser als bisher. Und sei es nur, um der Welt zu zeigen, daß es auch ohne Nefzger gegangen wäre.

Dieser Beweis läßt sich leicht antreten, denn Nefzger – das müssen sie ihm lassen – redet ihnen nicht drein. Er ist einer, der an der langen Leine führt. An der ganz langen. Er läßt sich kaum blicken. Auch in Situationen, in denen es dem Management lieber wäre, er würde sich einmischen. Bei Entscheidungen, die mehr als die übliche Portion unternehmerischen Muts verlangen. Oder bei Eingriffen, die die Struktur des Unternehmens nachhaltig prägen.

Aber Bargetzi, Burgherr, Tschanen und Merk soll es recht sein. Sie nützen die Chance, auf ihrem vorgesehenen Weg weiterzugehen, sogar um ein paar Zacken zügiger.

Gegen Ende des Geschäftsjahres ist der Aktienkurs wieder auf dem Niveau von vor Nefzger. Und Bargetzi, Burgherr, Tschanen und Merk wissen, daß er nach der Veröffentlichung der Bilanz einen Sprung nach oben machen wird.

So ist es denn auch. Nach der Bilanz-Pressekonferenz, die Nefzger bravourös leitet, ist sich die Finanzpresse einig: Nefzger hat es wieder mal geschafft!

Der tote Punkt bei Scholls zu Hause

Scholl überläßt nichts dem Zufall. »Der Zufall«, pflegt er zu sagen, »ist der Bruder des Unfalls.« Daran merkt man bereits, daß formulieren nicht seine Hauptstärke ist. Was sich auf dem Gebiet der Konversation immer wieder bemerkbar macht. Ein Handicap für eine Führungskraft, von der neuerdings ein gewisses Minimum an Privatbewirtungsaufwand erwartet wird.

Genau gesagt seit dem ersten Februar. Mit diesem Datum ist Scholls Beförderung zum Mitglied des Direktoriums in Kraft. Und damit verfügt er über eine Privatbewirtungspauschale, die im Schnitt zwei Bewirtungen im Monat erwarten läßt, auch wenn er nicht die Absicht hat, sie voll auszuschöpfen.

Diesen Freitag werden Hanhardts und Rüeschs erwartet, beides Entscheidungsträger im Einkaufsbereich zweier mittelgroßer Kunden.

Da es sich um die erste spesenfinanzierte Privatbewirtung in Scholls Karriere handelt, sind beide etwas nervös. Das ist etwas anderes als ein Abendessen unter Freunden, das auch einmal etwas langweilig geraten kann. Eine Privatbewirtung ist trotz des Namens ein Akt der Berufsausübung und damit letztlich qualifikations- und karriererelevant. So jedenfalls erklärt es Scholl seiner Frau Claudia, während er ihr und Frau Rankovic in der Küche im Weg steht. »Das Geheimnis ist die Überwindung des toten Punkts«, doziert er. »Der kommt so sicher wie das Amen in der Kirche, und wenn man nicht auf ihn vorbereitet ist, kann er einen ganzen Abend kaputtmachen. Da können deine Frühlingsrollen noch so gut geraten sein.«

»Enchiladas Rojas«, korrigiert ihn Claudia, »mexikanisches Rezept.«

»Die Lateinamerika-Krise.« Wenn der tote Punkt bei den Enchiladas eintritt, werde ich ihn mit der Lateinamerika-Krise überbrücken.

Sie gehen das ganze Menu durch, und Scholl macht sich einen kleinen Spick mit den passenden Stichworten.

Der Abend beginnt vielversprechend. Hanhardt und Rüesch kennen sich zufällig aus einem Motivationsseminar und fangen sogleich an, Erinnerungen auszutauschen. Die beiden Ehefrauen kennen sich zwar nicht, haben aber eine gemeinsame Bekannte namens Lollo, bei der eine Schaub-Diät wahre Wunder gewirkt hat. Der Aperitif verläuft reibungslos, ohne daß Scholl zum Stichwort *(Alkoholpreise im Licht der bilateralen Verträge)* greifen muß.

Auch während der Vorspeise kann Scholl seinen Spick *(Deklarationspflicht der Hors-sol-Tomate)* in der Serviette lassen. Die Enchiladas *(Die Lateinamerika-Krise und wir)* gehen im angeregten Gespräch über einen neuentdeckten gemeinsamen Bekannten der Gäste namens Zapf unter. Auch er ein Fremder für die Scholls.

Weder beim Hauptgang noch beim Dessert werden Scholls Stichworte gebraucht. Kurz bevor Frau Rankovic den Käse bringt, sieht es sekundenlang so aus, als ob die

Zeit für *Listerien versus Pasteurisierung von Rotschmier-
käse* gekommen wäre. Aber bevor Scholl reagieren kann,
trumpft Rüesch mit einer weiteren Zapf-Anekdote auf.
Der Abend wird ein voller Erfolg, wenn man einmal davon absieht, daß das Gespräch etwas sehr an den Gastge-
bern vorbeigelaufen ist.

»Komische Leute, diese Scholls«, sagt Hanhardt auf der
Heimfahrt zu seiner Frau. »Sitzen den ganzen Abend
stumm da, als warteten sie auf etwas.«

Hartmanns Ohr bei Morfs zu Hause

Zu unserer Serie »Privatbewirtungen« wäre noch die folgende Szene zwischen Bettina und Fritz Morf nachzutragen:

Bettina Morf schreibt mit Farbstiften Namen auf farbige Tischkärtchen. Jeweils in der Komplementärfarbe.

Er (diktiert): Hartmann. (Pause) Mußte sich etwas aus dem Ohr entfernen lassen.

Sie (vertieft): Wer?

Er: Hartmann.

Bettina läßt den Farbstift fallen.

Sie: Was entfernen?

Er (schulterzuckend): Was weiß ich. Nichts Schlimmes.

Sie: Wenn es nichts Schlimmes ist, weshalb läßt er es dann entfernen?

Er: Vielleicht aus kosmetischen Gründen.

Sie: Er läßt sich aus kosmetischen Gründen etwas aus dem *Ohr* entfernen?

Er: An der Ohrmuschel.

Sie (fassungslos): Du meinst, das *sieht* man?

Er: Das letzte Mal, als ich ihn sah, trug er einen Verband.

Sie: Wann war das?

Er: Vor drei Tagen.

Sie: Du lädst einen Frischoperierten mit Schwanders und Rüfenachs ein?

Er: Als ich ihn einlud, war er noch nicht operiert.

Sie: Eine unglaubliche Rücksichtslosigkeit, die Einladung anzunehmen. Typisch Hartmann!

Er (beschwichtigend): Ich glaube, der Verband ist bereits weg.

Sie (nach einem Moment der Sprachlosigkeit): Er trägt die Narbe offen? (Wischt die Tischkärtchen vom Tisch.) Dann kann ich von vorne anfangen.

Er: Wieso?

Sie: Die Farben der Tischkärtchen sind im Prisma.

Er: Na und?

Sie: Wenn die Tischordnung ändert, stimmt die Farbenfolge nicht mehr.

Er: Die Tischordnung ist doch prima.

Sie: Und die Rüfenach? Ich kann doch einer Vegetarierin keine frischoperierte Ohrmuschel gegenübersetzen.

Er: Daran habe ich nicht gedacht.

Sie: Das überrascht mich nicht.

Er: Bitte, Bettina.

Er hilft ihr, die Tischkärtchen vom Boden zu klauben. Sie legt sie in der Tischordnung vor sich hin.

Sie: Welches Ohr ist es?

Er (überlegt): Das linke. Nein, das rechte.

Sie: Das rechte, bist du sicher?

(Er nickt.)

Sie: Dann plaziere ich ihn zuunterst rechts. So hat die Rüfenach wenigstens das gesunde Ohr neben sich. (Bettina verschiebt die Tischkärtchen und studiert das Resultat.)

Er: Na bitte.

Sie: Geht nicht. Jedesmal wenn er den Kopf zur Rüfe-nach dreht, schaut vis-à-vis die Schwander direkt in die Ohrmuschel.

Er: Setz doch die Schwander um.

Sie: Die hatte ich eigentlich dort unten, weil sie mit vollem Mund spricht. – Moment (strahlt): Ich hab's. Ich setz ihm seine Frau gegenüber. Selber schuld.

Aber während Morf sich noch über die Lösung freut, taucht schon das nächste Problem auf.

Sie (verzweifelt): Mein Gott, das Menü kann ich ja auch vergessen!

Er: Warum? Das war doch eine prima Idee, etwas alt-modisch Schweizerisches.

Sie (laut): Öhrli mit Schnörrli?

Achtung, Eisberg!

Bei der Verbesserung der Krisen-Performance von Führungskräften werden mit der Verhinderung des Untergangs der ›Titanic‹ in letzter Zeit sehr schöne Resultate erzielt. Ein Theaterwerkstattbericht:

Der dritte Offizier (sehr subtil: Fritz Wittlin vom Keller-Ensemble Unterengstringen) meldet dem Kapitän (Rolf Gut – in bester Erinnerung aus *Joggeli und die dicke Magd* der Liebhaberbühne Gutenswil), daß mit Eisbergen zu rechnen sei. »Eisberge? Am Arsch!« ruft der Kapitän zum Gaudi des Publikums. (Wie immer phänomenal gutes Timing!)

Es entspannt sich ein Dialog. Der Kapitän stellt sich auf den Standpunkt, wegen ein paar lumpiger Eisberge mache das modernste Schiff der Welt keinen Umweg. Der dritte Offizier widerspricht mit dem Argument, was über Funk gemeldet werde, sei eventuell nur die Spitze des Eisbergs (Lacher).

Der Kapitän beendet die Diskussion mit der Bemerkung, es werde mit der ›Titanic‹ »kein Eisberg-Slalom gefahren« (Lacher), solange er hier Kapitän sei. Und das gedenke er noch ein paar Jahre zu bleiben (Lacher).

Das Publikum hat sich jetzt so richtig gemütlich eingelacht. Aber jetzt geht das Saallicht an, und Urban Lerch, der Seminar-Animator, tritt auf die Bühne. Reglos wartet er, bis sich die Heiterkeit gelegt hat. »Als was würden Sie das bezeichnen, was Sie soeben gesehn haben?«

»Als Schwank?« rät Hänni (Hänni & Co.).

»Als Krise«, korrigiert Urban Lerch. »Und die wollen wir jetzt gemeinsam bewältigen. Greifen Sie ein, wann immer Sie es für nützlich halten.«

Das Saallicht geht aus, die Bühnenbeleuchtung wird wieder eingeschaltet. Der Kapitän und der dritte Offizier setzen ihren Dialog fort. In der Sache sind sie noch nicht weitergekommen.

»Wenn wir einen Umweg fahren, können wir der ›Bremen‹ das Blaue Band (beiseite: »Mhm, jetzt ein Cordon bleu!« Lacher) nicht abknöpfen. Der Kurs wird beibehalten. Pasta.« (Lacher.)

Noch bevor der dritte Offizier widersprechen kann, ruft Guggisberg (Fischag) dazwischen: »Entschuldigen Sie, aber so kommen wir nicht weiter.« Ein Raunen geht durch das Publikum, als Guggisberg auf die Bühne klettert. »Diesen Fehler haben wir in der Fischag auch einmal beinahe begangen. Mit einer Offerte untenrein, nur damit Hubag den Auftrag nicht bekommt. Zum Glück habe ich mich dann bei meinem damaligen Vorgesetzten durchsetzen können. Der Auftrag ging an die Hubag, und die legt seither jeden Tag drauf.«

Unruhe im Saal. Dann eine Stimme: »Die Fischag hat nur deshalb nicht mitofferiert, weil sie technisch überfordert war.« Gottier von der Hubag steigt auf die Bühne. »Volldampf voraus, Käptn. Ohne Risiko kein Fortschritt.«

»Das ist genau die Haltung, die den Smart zu Fall gebracht hat«, ruft Brülisauer (Schläfli, Söhne) dazwischen. Er will auch etwas sagen für sein Geld.

»Volle Kraft voraus!« brüllt Kapitän Rolf Gut und rollt die Augen. Hinter der Bühne legt Urban Lerch »Näher mein Gott zu Dir« auf.

Jetzt hat Hänni von Hänni & Co. genug. »Stop!« brüllt er. »Solange ich bei Hänni & Co. die Mehrheit habe, bestimme immer noch ich, wann die ›Titanic‹ untergeht!«

Gustav Häusler zum Abschied

Als Gustav Häusler 1958 in der Schuwag zum Proku-
risten befördert wurde, war er knapp fünfundzwanzig.
Der jüngste Prokurist, den das Unternehmen je hatte.
Keine drei Jahre später war Häusler Mitglied des Direktoriums, und nach weiteren zwei übernahm er die ope-
rative Leitung des Unternehmens vom siebzigjährigen
Patron.

Bis 1966 führte er die Schuwag sicher durch die Fähr-
nisse der Hochkonjunktur. Es war eine Zeit, die ihn
prägte: Sein Führungsstil, seine Entscheidungsfreudigkeit,
seine Personalpolitik, sein unternehmerisches Denken,
kurz: sein gesamtes Kernprofil erhielt in dieser Zeit die
Ausformung, die er sich während seiner ganzen Karriere
bewahrte.

Als 1967 die Schuwag von der Berco übernommen
wurde – ein Vorgang, auf den Häusler keinen Einfluß
hatte –, wechselte er zur Macag, die damals im Rahmen
einer Restrukturierung ihr Direktorium von vier auf acht
ausbaute.

Es darf ohne Übertreibung behauptet werden, daß die
Zeit bei der Macag entscheidend war für die Verfeinerung
von Häuslers taktischen Fähigkeiten. Die Positionskämpfe
im achtköpfigen Direktorium hielten ihn fünf Jahre lang

in Atem und endeten mit seiner Ernennung zum General-
direktor.

1973, gerade als Häusler die Unternehmung fit für die
Zukunft machen wollte, traf ihn die Ölkrise mit voller
Wucht. Die Macag erhielt Schlagseite, Häusler stand vor
der schweren Aufgabe, Ballast abzuwerfen.

In der Krise zeigt sich der wahre Wirtschaftsführer. Ein
anderer hätte das leckgeschlagene Schiff verlassen. Häusler
blieb. Bis fast zum Schluß. Erst als die letzten rentablen
Teilbereiche aus der Gesamtunternehmung herausgebro-
chen und der Kernbereich trotz Kurzarbeit keine realisti-
schen Überlebenschancen mehr besaß, verließ er schweren
Herzens das Kommandodeck. Andere Aufgaben warteten
auf ihn.

Bis Anfang der achtziger Jahre wurde es still um Gustav
Häusler. Bescheiden im Hintergrund setzte er seine wert-
volle Erfahrung für verschiedene kleinere und mittlere Unternehmen ein. Wenn er keinem sehr lange treu blieb, lag
das nicht an seiner Unstetigkeit, sondern daran, daß die
Unternehmen in diesen Zeiten des Umbruchs nicht lange
genug überlebten. Nicht daß Häusler daran die geringste
Schuld träfe. Sie trifft die, die ihn holten, denn sie taten es
zu spät.

In diese Zeit des stillen Wirkens fielen auch die entscheidenden Stationen von Häuslers militärischer Laufbahn.
Wo andere untätig auf die nächste Anfrage warten würden, nutzte er die Zeit zwischen den Herausforderungen
aktiv zur militärischen Weiterbildung, die er dank seiner
Führungs- und Krisenerfahrung im Rang eines Obersten
abschließen sollte.

Nicht zuletzt dank dem Beziehungsnetz, das ihm als Milizoffizier aufzubauen vergönnt war, wurde er in den achtziger und neunziger Jahren immer wieder zu verantwortungsvollen Führungsaufgaben herangezogen. So war er unter anderem maßgeblich beteiligt am Scheitern der Wubco, am Untergang der Ballag, an der Auslöschung der Cleanco, an der Verramschung der Xiag und am Konkurs der Betco.

Am letzten Freitag, im Alter von nicht einmal fünfundsechzig Jahren, wurde Gustav Häusler jäh abberufen.

In den Verwaltungsrat eines Unternehmens von nationaler Bedeutung.

Pfeiffers Affäre

Frau André hätte weiterhin eisern geschwiegen, hätte Pfeiffer nicht ihren Geburtstag vergessen. Seit bald zwanzig Jahren war sie seine Sekretärin – weiß Gott nicht immer eine leichte Aufgabe –, und er bringt es nicht einmal fertig, einen einzigen Geburtstag in seinem Spatzenhirn zu behalten. An alle anderen erinnert sie ihn nämlich.

Wenn es überdies nicht auch noch ein runder gewesen wäre oder wenn Steffen wenigstens am nächsten Tag darauf zurückgekommen wäre, hätte sie es wahrscheinlich unterlassen. Aber so erwähnt sie in der Kaffeepause Frau Wipfli gegenüber die Frau, die sich *Hahn* nennt. Frau Wipfli ist kurz darauf voll informiert und wenig später auch Rütimann, ihr Chef.

»Sie telefonieren täglich. Mehrmals. Und nie in Frau Andrés Anwesenheit.«

Rütimann weist Frau Wipfli darauf hin, daß es Pfeiffers Privatangelegenheit sei, mit wem er telefoniere. Beim Mittagessen informiert er Wüthrich.

»Mehrmals täglich. Nie vor der André.«

»Kann ich ihm nicht verdenken. Wenn sie es brühwarm der Wipfli weitererzählt.«

Wüthrich informiert Spielmann, und damit verfügt die gesamte zweite Führungsebene noch am gleichen Tag über den identischen Informationsstand. Soll niemand sagen, die interne Kommunikation des Ladens funktioniere nicht.

Rütimann, Wüthrich und Spielmann behandeln die Sache mit weltmännischer Gelassenheit. Mit etwas Optimismus könnte man sie sogar als Zeichen dafür interpretieren, daß Pfeiffer die Zügel etwas hängen läßt. Vielleicht hat er die angenehmen Seiten des Lebens entdeckt und trägt sich mit dem Gedanken, sich nicht bis ans Ende seiner Tage an die Führung des Unternehmens zu klammern. Man hat schon von anderen Fällen gehört, bei denen die Wachablösung mit einem zweiten Frühling einherging.

Wenn sie also die weitere Entwicklung beobachten, dann mit Wohlwollen.

Ganz im Gegensatz zu Frau André. Als sie an einem Morgen das Vorzimmer betritt, riecht sie ein fremdes Parfum. In Pfeiffers Büro verstärkt sich der Duft ins Unerträgliche. Auf dem Tischchen bei der Besuchersitzgruppe stehen zwei leere Kaffeetassen. Auf einer sind Lippenstiftspuren. Frau André verläßt das Büro, bevor sie noch unappetitlichere Entdeckungen machen muß.

Für sie ist es ein Gebot der Loyalität dem Unternehmen gegenüber, den Skandal nicht zu vertuschen. Vielleicht wird Pfeiffer vernünftig, wenn die Sache publik wird. Noch bevor er – verspätet – ins Büro kommt, ist Frau Wipfli orientiert.

Die zweite Führungsebene teilt das Entsetzen von Frau André und Frau Wipfli nicht. Spielmann äußert sogar etwas Mitleid mit Pfeiffer. »Bald sechsundsechzig und muß es nachts im Büro treiben wie ein Schulbub auf dem Estrich.«

Auch als sich die abendlichen Besuche mehren, bleiben sie tolerant. Das einzige, was die Phantasie von Rütimann, Wüthrich und Spielmann beschäftigt, ist Frau *Hahn.* Wie sie aussieht, wie alt sie ist, was sie macht im Leben. Rütimann bittet Frau Wipfli, via Frau André diskret nachzuforschen.

Eines Tages platzt Frau Wipfli in die Montagssitzung von Rütimann, Wüthrich und Spielmann. »Entwarnung«, strahlt sie, »sie ist nicht seine Geliebte. Sie ist seine Unternehmensberaterin.«

»Dieses Ferkel!« entfährt es Wüthrich.

Pädagoge Schnüriger

Wenn man Alec Schnüriger (6) fragt, was er werden wolle, sagt er wie aus der Pistole geschossen: »General Manager.« Dann lacht Gustav Schnüriger (42, General Manager) stolz, und die, die gefragt haben, lachen mit. Carla Schnüriger schüttelt den Kopf, und Jeno Schnüriger (4) fragt: »Was ist General Manager?«

»Der Höchste«, antwortet dann jeweils Alec, und die Erwachsenen lachen wieder.

Gustav Schnüriger ist ein vielbeschäftigter Mann. Kaum ein Abend, an dem er zum Nachtessen zu Hause ist. Und wenn, dann meistens mit Geschäftsgästen. Kaum ein Wochenende, an dem er nicht entweder unterwegs oder im Büro oder todmüde ist. Er hat also nicht viel Zeit für die Kinder, aber die Zeit, die er ihnen widmet, ist von hoher *Quality.*

Zum Beispiel nimmt er sie manchmal an Wochenenden mit ins Büro. Wie viele Väter tun das? Wie viele Kinder besitzen schon im zarten Alter von vier und sechs eine präzise Vorstellung von dem, was der Vater macht, wenn er nicht zu Hause ist?

Jeno, der Jüngere, interessiert sich mehr für das Handfeste: den Wagenpark, die Verladerampen, die Hubstapler, die Abfüllanlagen. Schnüriger hofft, daß das eine vorübergehende Vorliebe für das Handwerkliche ist. Aber Alec ist fasziniert vom Unternehmerischen. Während Jeno sich bei den Führungen durch das verwaiste Verwaltungsgebäude auf jeden Locher, Bostitch und Büroklammern-Magneten stürzt, bewegen Alec die strukturellen Fragen.

»Ist der Mann, der in diesem Büro arbeitet, höher als die Frau, die im kleinen Büro daneben arbeitet?« Oder: »Wer verdient mehr, der Mann mit dem großen Stuhl mit der hohen Lehne oder der Mann mit dem kleinen Stuhl?«

Alec entwickelt so sehr schnell ein Gespür für Organigramme und Hierarchien, während Jeno lange Zeit nicht vom Berufswunsch ›Bohnermaschinenführer‹ abzubringen ist, seit sie an einem Samstagvormittag in der Disposition einer Putztruppe begegnet sind.

Die Interessen der beiden Sprößlinge treffen sich jeweils in Schnürigers Büro: Alec sitzt im dreifach verstellbaren Chefsessel und trifft Entscheidungen, Jeno bedient die Verstellhebel. Die Stunde oder so, die die beiden mit diesem Spiel beschäftigt sind, nutzt Schnüriger für die Erledigung einiger dringender Pendenzen.

So schafft es Gustav Schnüriger bei aller beruflichen Belastung doch, seinen Söhnen Vater und Identifikationsfigur zu sein. Beiden auf ihre Weise.

Auch an den Abenden, wenn Schnürigers Gäste empfangen, läßt er sie teilhaben. Nie müssen sie ins Bett, bevor nicht alle eingetroffen sind. Die meisten bringen etwas mit für die Kleinen.

Den Thalmanns (er ist Marketingleiter eines bedeutenden Abnehmers von Schnüriger) passiert dabei ein Mißgeschick: Sie wissen nicht, daß ihre Gastgeber *zwei* Söhne haben – Schnüriger hat immer nur den älteren erwähnt – und bringen nur *einen* Schoggi-Osterhasen mit. Gustav Schnüriger rettet die Situation: »Das ist doch großartig. Eine richtige Management-Aufgabe. Das passiert dem Papi und dem Herrn Thalmann auch manchmal. Es kommt weniger herein, als du budgetiert hast. Wie löst du das Problem, Alec? Jetzt kannst du mal zeigen, ob du das Zeug zum Manager hast.«

Eine halbe Stunde später kommt Jeno laut weinend ins Eßzimmer. »Alec hat mich entlassen«, schluchzt er.

Stockers Ausgleich

Ferdinand Stocker ist ein ernster Mann. Das kann man ihm auch kaum verdenken, bei der Verantwortung, die er trägt. Er ist der leitende Direktor eines exportorientierten Unternehmens. Da gab es in jüngster Zeit wenig zu lachen.

Aber auch wenn Stocker Grund zum Lachen hätte, würde er es sich verbeißen. Aus einer ganzen Reihe von Gründen: um nicht unseriös zu wirken; um intern nicht den Eindruck zu erwecken, es gehe der Firma zu gut; um die für gewisse Entscheidungen nötige Distanz zu wahren. Kommt dazu, daß es ihm der Frankenkurs in den letzten Jahren ermöglicht hat, ein paar überfällige Strukturmaßnahmen durchzuziehen. Es sieht nicht gut aus, wenn man das mit einem Grinsen tut.

Natürlich sind Chefs, die ständig Frohsinn verbreiten, bei der Mitarbeiterschaft beliebter als Ferdinand Stocker. Aber er hat es nicht darauf angelegt, geliebt zu werden. Ihm reicht es, wenn man ihn respektiert.

Soviel zum öffentlichen Ferdinand Stocker. Aber es gibt auch den privaten. Und der kann auch ganz anders sein: fröhlich, humorvoll, übermütig. Muß er sogar. Braucht er zum Ausgleich. In den eigenen vier Wänden – es können auch die seines Büros sein – tut er Dinge, die überhaupt nicht dem Bild entsprechen, das man sich von ihm macht.

Zum Beispiel Sachen auf den Kopf legen. Beim Essen die Serviette, bis die Kinder sagen: »Papi, du hast eine Serviette auf dem Kopf.« Dann schaut er hinauf, und die Serviette fällt runter, und er fragt: »Wo?« Auch jetzt, wo die Kinder erwachsen sind, bringt er diese Nummer noch ab und zu. Seine Frau Sandra reagiert zwar nicht mehr so spontan, aber er ist bei seinen Anwandlungen von Unernst nicht unbedingt auf Publikum angewiesen.

Bei seinen Badezimmernummern hat er ja sich selber. Er kratzt sich vor dem Spiegel mit der rechten Hand in der rechten Achselhöhle, spitzt die Lippen und macht »uh, uh« dazu. Sieht aus wie ein Affe, zum Schießen.

Oder er stülpt sich beim Rasieren Sandras rosarote Duschkappe mit den Plastikrüschen über und sprayt sich einen Schnurrbart aus Rasierschaum auf die Oberlippe. Auch wahnsinnig komisch.

Bei der Unterhosennummer hat er allerdings nach wie vor gerne Publikum.

Die Unterhosennummer geht so: Beim Ausziehen – Stocker hält sich an die Reihenfolge Schuhe-Hose-Sokken-Unterhose-Krawatte und so weiter –, beim Ausziehen, wenn die Unterhose gefallen ist, steigt er manchmal mit dem linken Fuß aus ihr raus, *kickt* sie mit der rechten Fußspitze steil in die Luft und – fängt sie mit dem Kopf auf. Das gelingt nicht immer, aber wenn es gelingt und die Unterhose – wenn auch oft gefährlich schepps – auf dem Kopf hängenbleibt, dann kann er es sich nicht verkneifen, seine Frau zu fragen: »Hast du das gesehen?«

Sandra Stocker hat gelernt, auf diese Frage mit »Toll!« zu antworten, egal, wie tief sie schon geschlafen hat.

Wenn dann am anderen Morgen Stocker um halb acht in die Firma einfällt und mit seiner steinernen Miene Angst und Schrecken verbreitet, kann sich niemand vorstellen, daß der gleiche Ferdinand Stocker nur ein paar Stunden früher in Hemd und Krawatte im Elternschlafzimmer stand, auf dem Kopf eine schon etwas ausgeleierte Herrenunterhose. Und seine Frau aus dem tiefsten Schlaf riß, damit sie ihn dafür bewundere.

Aber wir, die es jetzt wissen, sollten uns das ab und zu vor Augen führen.

Walter Eder überlebt

Knobel ist der Leiter Human resources, wie der Personalchef heißt, seit Knobel bei der Firma ist. Von ihm stammt natürlich auch die Idee vom Überlebenskurs. Das Gerücht kursiert, daß es sich dabei um die entscheidende Potentialanalyse für die Besetzung der Vakanz *Leiter Gesamteinkauf* handelt. Eder soll's recht sein. Sein einziger ernsthafter Konkurrent ist Gröflin. Keine Stunde überlebt dieses Muttersöhnchen alleine im Wald.

Mit einem Sackmesser, einem Schlafsack, einer Blache, zehn Meter Schnur, vier Müesliriegeln, acht Wasserentkeimungstabletten und zehn wasserfesten Streichhölzern wird das mittlere Kader des Unternehmens einzeln im Wald ausgesetzt. Alle zwölf Stunden wird Jack Smith, der Überlebensinstruktor, in Begleitung von Knobel eine Inspektionstour machen. Wer nicht mehr kann, hat dann Gelegenheit, das Handtuch zu werfen.

Als erstes knetet Eder aus Lehm, den er an der Uferböschung eines Baches findet, ein Gefäß. Er entfacht ein Feuer und brennt es in der Glut. Danach baut er sich eine Bettstatt aus Ästen, über die er die Blache spannt. Inzwischen ist sein Wassergefäß fertig gebrannt. Er nimmt es aus der Glut und holt sich dabei Verbrennungen zweiten Grades an Handballen und Fingerbeeren. Er verbindet die

Wunde mit Blättern. Dann geht er zum Bach, füllt sein Gefäß mit Wasser und wirft eine Entkeimungstablette hinein. Auf dem Rückweg zum Lager beginnt es zu regnen.

Eder rettet etwas Glut unter die Blache, setzt sich auf die Bettstatt und hält das Feuer am Brennen.

Kurz bevor es dunkel wird, kommen Smith und Knobel auf ihrem Kontrollgang vorbei. »Excellent, excellent, jolly good show!« sagt Smith, der einmal in einer britischen Kommandoeinheit gedient hat. Knobel erkundigt sich, ob Eder etwas brauche. »Nein danke, aber darf ich Ihnen etwas anbieten?« erkundigt sich Eder. Knobel scheint beeindruckt.

Es regnet die ganze Nacht. Als Eder kurz austreten muß, berührt er die Blache von unten. Jetzt leckt sie genau über seinem Bauch. Er legt das Tongefäß an die Stelle und verbringt den Rest der Nacht sitzend. Nur die Vorstellung, daß Gröflin, dieser Waschlappen, bereits im Massenlager der nahen Berghütte am Daumen lutscht, hält ihn aufrecht.

Um sechs Uhr geht er Wasser holen. Auf dem Rückweg pflückt er Bärlauch, den er essen will, wenn Smith und Knobel eintreffen. Er kommt gerade rechtzeitig, um mit dem mitgebrachten Wasser einen Schwelbrand am Fußende seines Schlafsacks zu löschen. Um acht Uhr kommen Smith und Knobel. Er bietet ihnen vergeblich Bärlauch und heißes Wasser an und weist den Vorschlag, die Übung abzubrechen, weit von sich.

Eder verbringt den Tag damit, seinen Unterstand auszubauen. Soweit das der Durchfall zuläßt, mit dem sein Körper auf die ungewohnte Menge Bärlauch reagiert. Als Smith und Knobel am Abend auftauchen, ist er bleich, aber fest entschlossen, eine weitere Nacht durchzuhalten. Er gibt erst auf, als er erfährt, daß Gröflin, diese Memme, schon nach den ersten zwölf Stunden abgewinkt hat.

In der folgenden Woche wird die Entscheidung *Leiter Gesamteinkauf* bekanntgegeben. Eder wird zu Knobel gerufen. Der schaut ihm tief in die Augen und sagt: »Ich fürchte, ich habe eine schlechte Nachricht für Sie, aber ich weiß jetzt: Sie werden es überleben.«

Gregor Stampflis Führungsstil

Im sechzehnten Stockwerk der Konzernverwaltung, in einem Eckbüro mit Sicht auf einen Teil der Produktionsstätten, saß der Mann, der während all der Jahre die Zügel des Unternehmens in der Hand hielt: Gregor Stampfli.

Er war kein Showman, keiner, der sich in den Vordergrund drängte, jeden Erfolg für sich buchte und jeden Mißerfolg auf andere abwälzte. Stampfli war der Mann im Hintergrund. Er glaubte nicht daran, daß der Unternehmensleiter die Galionsfigur des Unternehmens zu sein habe. Sein Platz war im Steuerhaus. Und dort verbrachte Stampfli auch die meiste Zeit.

Trotzdem war er überall präsent im Unternehmen. Sein Geist durchwehte die Produktionshallen und Büros, seine Persönlichkeit prägte Stil und Kultur auf allen Ebenen. Stampfli war der Mann, den man nie sah, aber immer spürte. Er gehörte nicht zu denen, die an flache Hierarchien, offene Teams, aktive Information, Fehlertoleranz, flexible Dienstwege und andere Modeerscheinungen glauben. Für ihn war ein Chef noch ein Chef. Er glaubte an die Dynamik der Hierarchien und die Magie des Delegierens. Er schwor auf die hierarchische Distanz als Führungsinstrument und verachtete Vorgesetzte, die mit der Belegschaft fraternisieren.

Einen Termin mit Stampfli zu bekommen war auch für die zweitoberste Führungsebene beinahe unmöglich. Alle Ebenen unter ihm bekamen ihn praktisch nie zu Gesicht. Die langjährigen Mitarbeiter erinnerten sich noch an Auftritte Stampflis am fünfundsiebzigsten Firmenjubiläum und bei der Einweihung der Halle acht. Aber die jüngeren kannten ihn nur aus einem älteren Porträt über dem Editorial der Firmenzeitung, das deren Redakteur jeden Monat in seinem Sinn und Namen verfaßte.

Bis zu ihrer Pensionierung war Frau Vuillerat, seine Sekretärin, eine der wenigen Personen gewesen, über die man manchmal Zugang in sein durch eine Doppeltür von der Außenwelt isoliertes Allerheiliges erhalten hatte. Aber ihre Nachfolgerin, Frau Werner, beschränkte sich darauf, als Zerberus seinen Eingang zu bewachen.

Je unauffälliger Stampflis physische Präsenz sich gestaltete, desto allgegenwärtiger wurde seine psychische. Bis zum letzten Magaziner wußte jeder und jede: Dort oben, im Sechzehnten, sitzt einer, in dessen Sinn und Geist wir denken, handeln und entscheiden. Und sollte jemand daran Zweifel haben, brauchte er nur spätnachts zum Sechzehnten hinaufzuschauen: Er konnte sicher sein, in Stampflis Eckbüro brannte Licht.

Stampflis Führungsstil mochte nicht ganz zeitgemäß gewesen sein, aber er war letztlich erfolgreich. Nach Jahren der Stagnation wies der Konzern jetzt für das vergangene Geschäftsjahr erstmals nicht nur auf der Umsatz-, sondern auch auf der Ertragsseite ein beachtliches Wachstum auf. Was manches sogenannt modern geführte Unternehmen nicht von sich behaupten kann.

Leider war es Gregor Stampfli nicht mehr vergönnt, die Früchte seines unternehmerischen Engagements zu ernten und den Rekordgewinn persönlich der Öffentlichkeit zu präsentieren.

Er ist vor einem Jahr – wie bezeichnend für den unermüdlichen Schaffer! – in seinem Büro einem Herzinfarkt erlegen.

Ein Heizungsmonteur hat ihn dort vor zwei Tagen gefunden.

Ein Team wird geschmiedet

Der Trend geht ja weg vom Einzelkämpfer hin zum Team. Im modernen Management führt man nicht mehr Nussbaumen, Hurter, Birchler, Nater und Frau Baader zum Erfolg, sondern das sich gegenseitig ergänzende, für das gemeinsame Ziel engagierte Team Nussbaumen, bestehend aus den in gegenseitiger Abhängigkeit zueinanderstehenden Mitgliedern Nussbaumen (Leitung), Hurter, Birchler, Nater und Frau Baader.

Man muß sich das Team als einen einzigen Organismus vorstellen, der in sich die widersprüchlichsten Eigenschaften zu Höchstleistungsfähigkeit potenziert.

Von den einzelnen Teammitgliedern verlangt das radikales Umdenken. Es geht jetzt nicht mehr um die eigene Karriere, sondern um die des Teams. Wenn also zum Beispiel Hurter wieder Mist baut, können ihn Nussbaumen, Birchler, Nater und Frau Baader fortan nicht einfach auflaufen lassen, sondern müssen die Überstunden leisten, die nötig sind, um seine Scharte auszuwetzen. Der persönliche Erfolg führt in Zukunft ausschließlich über den Erfolg des Teams. Besonders der von Nussbaumen (Teamleitung) und Bänninger (Unternehmensleitung).

Das dafür erforderliche Wir-Gefühl entsteht natürlich nicht von einem Tag auf den anderen. Deswegen schickt

Bänninger das Team in ein mehrtägiges Seminar nach Bad Krummbach.

Bei der Einführung im Konferenzstübli Urirotstock gebraucht Seminarleiter Fred Greter ein schönes Bild: »Ihr müßt zu einem einzigen Körper mit fünf Köpfen verschmelzen.«

Nussbaumen, Hurter, Birchler und Nater trauen es sich durchaus zu, mit Frau Baader zu einem einzigen Körper zu verschmelzen. Ihre Chancen scheinen zu steigen, als Greter bekanntgibt, daß die Kurse abwechselnd in den Hotelzimmern der Teammitglieder stattfinden werden. Zur Förderung der »Inteamsphäre« (© Greter).

Am ersten Tag steht »Bearbeitung gruppendynamischer Fragestellungen« auf dem Programm. Zimmer zwölf, Frau Baader. Nussbaumen, Hurter und Nater bringen einen Stuhl aus ihren Zimmern mit. Greter beansprucht als Seminarleiter den vorhandenen. Birchler setzt sich zu Frau Baader aufs Bett, zur Steigerung des Wir-Gefühls.

Nussbaumen (Leitung) stellt die hierarchische Normalität wieder her, indem er sich während eines Exkurses über die Kritikfähigkeit von Hurter wie zufällig ebenfalls zu Frau Baader aufs Bett setzt und ihr kollegial die Hand aufs Knie legt. Eine Geste, die Hurter nicht empfänglicher macht für Nussbaumens Kritik an seiner Kritikfähigkeit.

Birchler demonstriert seine Fähigkeit, sich in ein soziales System einzufügen, indem er seine Hand genauso kollegial auf Frau Baaders anderes Knie legt.

Nater wird davon so abgelenkt, daß er Nussbaumen versehentlich in dessen Kritik an Hurter recht gibt. Ein

Lapsus, den ihm Hurter mit einer Tirade über seine Konfliktfähigkeit heimzahlt.

Nater nimmt sich vor, Hurter bei nächster Gelegenheit bei Bänninger anzuschwärzen, Nater wird Birchlers Frau einen anonymen Tip geben, Birchler plant, Nussbaumen in der Tiefgarage umzulegen.

Beim geselligen Teil abends an der Bar wird nicht viel gesprochen. Aber ein glücklicher Zufall schweißt den größten Teil des verfeindeten Teams Nussbaumen schließlich doch noch zusammen.

Denn Greter wird am nächsten Morgen beim Verlassen von Zimmer zwölf beobachtet.

Aellig und der Fernsehspot

Wenn man die Werbeagenturen lange genug gegeneinander ausspielt, kommt eines Tages eine mit einer Idee. Das ist Aelligs Devise. Und daß sie stimmt, hat jetzt gerade wieder M!M!G!&! bewiesen, einer der Hotshops, mit denen er experimentiert. Gwerder, das G in M!M!G!&! hat ihm mit seinem Team ein Konzept präsentiert, das ihn in seiner Einfachheit überzeugt.

»Die Leute haben die Schnauze voll von Slice of Life, Ironie und all den Mätzchen in der Werbung«, hat er gesagt. »Die sehnen sich nach Truth.« Und dann hat er die Storyboards präsentiert:

Groß im Bild: der Marketingdirektor. Er hält Cool Formula in der Hand, das neue Hair and Body Gel. Er spricht etwa folgenden Text:

»Ich bin der Marketingdirektor von Cool Formula. Es ist mein Job, Ihnen zu sagen, weshalb ich davon überzeugt bin, daß Sie es gelegentlich ausprobieren sollten.«

Es folgt eine kurze Produktauslobung. Danach der Pay-off: »Cool Formula, Ihrem Körper und mir zuliebe.«

Aellig hätte das Konzept spontan gekauft, wenn es nicht eine Schwierigkeit gegeben hätte: Er selbst war der Marketingdirektor. Es könnte falsch verstanden werden, wenn das Okay von ihm käme.

Er organisiert eine Präsentation vor der obersten Geschäftsleitung. Für Hair and Body hat sie immer Zeit, in der Hoffnung auf Bilder von duschenden Models.

Gwerder enttäuscht die Herren nicht. Er zeigt achtzehn Minuten Konkurrenzspots mit duschenden Models, läßt sich aus über deren Verlogenheit, kommt dann auf den Truth-Gedanken und serviert den Knüller mit dem Marketingdirektor.

Die Agentur hat einen Layout-Spot produziert. Er unterscheidet sich vom Endprodukt nur dadurch, daß die Rolle des Marketingdirektors von einem arbeitslosen Schauspieler gespielt wird. Aellig hatte sich nicht dazu hergegeben. Es hätte ausgesehen, als wäre seine Meinung schon gemacht.

Der Schauspieler bringt die Unbeholfenheit des Marketingdirektors, der redlich seinen Job machen will, auch wenn es bedeutet, sich vor eine Kamera zu stellen, überzeugend rüber. Die Geschäftsleitung entscheidet: testen.

Der Spot testet gut. Aufmerksamkeit, Sympathie, Glaubwürdigkeit, Erinnerung: alles Werte im oberen Drittel. Die oberste Geschäftsleitung gibt grünes Licht.

Jetzt schlägt Aelligs Stunde. Er hat in seiner Jugend an Pfadiabenden tragende Rollen gespielt, versteht es, an den Detaillistentagungen die Zuhörerschaft zu fesseln, und ist sich einer gewissen Ausstrahlung bewußt. Am Ende des Drehs hat er ein gutes Gefühl; als man ihm das Endresultat vorführt, ist er sogar begeistert.

Die Testresultate sind miserabel. Sein »Ihrem Körper und mir zuliebe« kommt nicht an. Vor allem nicht bei den Frauen.

Die oberste GL zitiert Aellig. »Wenn die Resultate mit dem Schauspieler so gut sind, warum macht man den Spot nicht mit ihm?« fragt der CEO.

»Wegen dem Truth-Gedanken«, erklärt Aellig. »Es muß wahr sein, daß der Mann der Marketingdirektor ist.«

Als Aellig draußen ist, fragt der CEO in die Runde: »Gibt es etwas, das ein Marketingdirektor können muß, was ein arbeitsloser Schauspieler nicht kann?«

Läubli setzt auf Eggimann

Eine Karriere«, sagt Läubli immer, »ist zehn Prozent Qualifikation und neunzig Prozent Protektion.« Nach seiner Ansicht gibt, wenn es ums Weiterkommen geht, im entscheidenden Moment immer nur eine einzige Stimme den Ausschlag. Diese zu erkennen und für sich zu gewinnen ist das A und O der Karriereplanung.

In seinem Fall wird es die Stimme von Eggimann sein, da ist er sich sicher.

Ein taktisch unerfahrener Mann als Läubli würde nicht auf Eggimann setzen. Er sitzt nämlich noch nicht in den Gremien, wo über Karrieren auf Läublis Level entschieden wird. Aber das verrät kurzfristiges Denken. Karrieren jedoch werden mittelfristig geplant.

Es ist nur eine Frage der Zeit, bis Eggimann befördert wird. Am Tag, an dem darüber entschieden wird, wer die Lücke füllen soll, die er hinterläßt, wird Eggimann mit am Tisch sitzen und sich des Mannes erinnern, der ihm Respekt gezollt hat.

Auf seiner Hierarchiestufe ist Läubli der einzige, der das tut. »Eggiarsch« ist nämlich nicht sehr beliebt. Er gibt sich auch keine besondere Mühe, es zu sein. Nicht nach unten. Alles, was er an Sympathiegewinnungspotential besitzt, investiert er nach oben.

Für Läubli selbst ist gerade das einer der Hauptgründe, weshalb er auf Eggimann setzt. In seinen Augen beweist es, daß auch er an die Protektion in der Karriereplanung glaubt.

Während seine Kollegen sich ins Treppenhaus verkrümeln, wenn sie Eggimann auf den Lift zukommen sehen, behält Läubli den Finger auf dem Knopf und wartet, bis Eggimann gemächlich den Lift erreicht und »sechs« befiehlt.

Läubli achtet darauf, daß er an den erweiterten Kadersitzungen so zu sitzen kommt, daß Eggimann sieht, daß er der einzige ist, der sich zu seinen Ausführungen Notizen macht und zu seinen Witzen kennerhaft schmunzelt.

Und wenn es im Personalrestaurant nur noch einmal Hackbraten mit Polenta gibt, verzichtet Läubli, der – nicht ganz zufällig – vor ihm ansteht, zugunsten von Eggimann.

Die kleinen Respektbezeugungen kosten Läubli einiges an Sympathien seitens der Kollegen und werden auch von Eggimann nicht belohnt. Im Gegenteil, er übersieht Läubli mit besonderem Nachdruck. Aber der behält die Nerven. Er investiert schließlich in die Zukunft.

Als diese eintritt, befindet er sich gerade auf dem Pissoir des ›Hirschen‹, seines gelegentlichen Feierabendlokals. Jemand kommt herein, stellt sich vor die Schüssel neben ihm und sagt: »Ja, ja, so, so, der Läubli.« Es ist Eggimann.

Noch bevor Läubli eine Antwort einfällt, fragt Eggimann: »Sind Sie allein?«

Läubli nickt. Unter den verächtlichen Blicken der Kollegen, mit denen er bei einem Feierabend-Drink zusammengesessen hat, verlassen sie kurz darauf das Lokal.

An diesem Abend erhält Läubli seine Investitionen mit Zins und Zinseszinsen zurückbezahlt. Um neun Uhr kennt er Eggimanns Jugend. Um zehn Uhr weiß er alles über seine Familie. Um elf Uhr bietet ihm Eggimann das Du an. Um Mitternacht gesteht er ihm im ›Topless‹ seine Schwäche für große Oberweiten.

Und um ein Uhr, daß man ihn gestern gefeuert hat.

Der wahre Maurer

Im Neonlicht des begehbaren Schrankes steht Maurer und fragt sich: Wie bin ich wirklich?

Zwei Drittel der Schrankabteile und Regale werden von Designerkleidern eingenommen, die diskret nach Idas verschiedenen Parfums duften. Im letzten Drittel befindet sich Maurers Garderobe. Klassische Business-Töne dominieren: Anthrazit, Marine, Schwarz, Schiefer. Viel Uni, etwas Pied-de-Poule, ein gelegentliches Prince-de-Galle, etliche Nadelstreifen.

Die Hemden sind weiß, blau, weißblau und blauweiß. Die Socken schwarz oder blau. Die Krawatten zeugen von einer überschäumenden Freude an Farben und Mustern.

Aber wie ist Maurer wirklich?

Er hat früh gelernt, nicht sich selbst zu verkörpern, sondern das Unternehmen, das er gerade repräsentiert. Und für die meisten Unternehmen sind ein Business-Anzug, ein blaues oder weißes Hemd und eine farbige Krawatte eine gültige Verkörperung. Maurer hat sich in seiner Karriere nie den Kopf zerbrechen müssen über Feinheiten des modischen Ausdrucks, die über das Tragen von Krawatte mit diskretem Firmensignet hinausgehen.

Und jetzt erfindet irgendein Schafskopf den *Dress-down Day*. Nach dreißig Jahren Management verlangen die plötzlich von ihm, daß er sich am *Casual Thursday* jeweils so kleidet, wie er ist.

Woher, zum Teufel, soll er wissen, wie er ist?

Maurer schiebt ratlos die Kleiderbügel an der Stange hin und her. Das einzige, was er ganz sicher weiß: er ist Konfektionsgröße zweiundfünfzig. Das war nicht immer so. Aber vor ein paar Jahren hat er sich entschieden, sich als zweiundfünzig zu akzeptieren, und hat Größe fünfzig in den Keller und Größe achtundvierzig zur Heilsarmee schaffen lassen.

Er stößt auf ein Sportjackett – kleines Tweedmuster, Lederflecken an den Ellbogen –, das er sich für ein Rhetorik-Seminar im Unterengadin angeschafft und nie getragen hat. Einen Moment erwägt er, es am *Casual Thursday* zu tragen. Vielleicht mit offenem Hemd und Seidenschal statt Krawatte.

Aber dann sieht er sich in diesem Durbridge-Outfit zwischen den stilsicher auf *casual* gestylten Kollegen und verwirft die Variante sofort.

Maurer sucht weiter nach einer treffenden Verkörperung von Maurer. Die Manchesterhose fällt ihm in die Hände, die er in den seltenen Fällen trägt, in denen er den Familienvater am Grill verkörpert. Er pflegt dazu ein kariertes Flanellhemd zu tragen und eine Schürze mit der Aufschrift: »Hier kocht der Chef.« Die könnte er ja weglassen.

Aber die Manchester-Flanellhemd-Variante scheitert am Spiegeltest.

Die Jeansvariante scheitert an der Bundweite. Er könnte zwar die kritische Stelle mit einem lässig um die Hüfte geschlungenen Pullover kaschieren. Aber *casual* sollte ja auch bequem sein.

Unter diesem Aspekt erwägt er kurz die Joggingvariante, die daran scheitert, daß sein Trainingsanzug zum Posten Größe achtundvierzig gehört hat, der bei der Heilsarmee gelandet ist.

Im letzten Moment findet Maurer doch noch ein Outfit, das den inneren, wahren, ganz privaten *casual* Maurer verkörpert: graue Nadelstreifen, blauweißes Hemd und eine rote Krawatte mit günen und gelben Streifen.

Die Pendenz Übersax

Auf Kongressen wird viel versprochen. Deshalb ist Nydegger überrascht, auf seinem Schreibtisch das Kursprogramm des Managementzentrums St. Gallen vorzufinden, von dem ein gewisser Übersax bei einem Stehempfang auf der zugigen Hotelterrasse gesprochen hatte. »Ein paar ganz interessante Sachen darunter, kennen Sie es?« hatte er in die fröstelnde Runde gefragt. Nydegger hatte verneint, Übersax hatte angeboten, ihm eine Kopie zu schicken, man hatte die Karten getauscht und zu den übrigen ins Poschettchen gesteckt.

Und jetzt liegt das Programm auf seinem Schreibtisch. Zusammen mit ein paar freundlichen Zeilen von Übersax.

Nydegger überlegt kurz, was hinter der Geste stecken könnte, und findet nichts. Übersax ist weder Mitarbeiter des Managementzentrums noch potentieller Lieferant, noch sonst irgendwie auf die Gewogenheit von Nydegger angewiesen.

Es muß sich bei Übersax um einen Vertreter der seltenen Spezies handeln, die bei einem Glas warmem Weißwein auf einer kühlen Terrasse irgend etwas versprechen und es selbst dann halten, wenn es ihnen keinen Vorteil bringt.

Nydegger legt den Brief zu den dringendsten Pendenzen und nimmt sich vor, sich ebenfalls mit einer selbstlosen Geste zu revanchieren. Einer guten Flasche Wein oder einem Management-Bestseller.

Wenn jedoch einer in Nydeggers Position nach einem mehrtägigen Kongreß ins Büro zurückkommt, ist die Beantwortung eines privaten Schreibens einer flüchtigen Kongreßbekanntschaft nicht die dringendste Pendenz. Es dauert bis zum Ende der Woche, bis der Brief von Übersax vom Grund des »Dringende-Pendenzen«-Korbes wiederauftaucht. Nydegger nimmt ein rosarotes Mäppchen aus der Hängeregistratur und schreibt »Gleich am Montag« drauf.

Am Montag ist das »Gleich-am-Montag«-Mäppchen das erste, das er sich vornimmt. Er entscheidet sich für eine Flasche Wein als begleitende Geste und klatscht eine Klebenotiz auf das Mäppchen: »1 Fl. Wein!« So legt er es zuoberst in den »Dringende-Pendenzen«-Korb.

Am Freitag taucht es dort wieder auf. Er legt es mitten auf die Schreibunterlage und schmiert mit dickem Filzstift drei Ausrufezeichen neben »Gleich am Montag«.

Am Montag ändert er die Zahl auf der pinkfarbenen Klebenotiz in »2 Fl. Wein!« um. Am Montag danach in »3 Fl. Wein!«.

Am Freitag, als er den »Dringende-Pendenzen«-Korb mistet, fällt ihm das Mäppchen mit dem aufdringlichen Übersax wieder in die Hände. Er streicht »3 Fl. Wein!« und ändert »Gleich am Montag« in »Erledigen« um.

Das Mäppchen kommt zuoberst auf den Stoß »persönliche Pendenzen« auf der rechten Schreibtischecke, der für die Sekretärin tabu ist. Zwei Wochen später, anläßlich der

Revision von »persönliche Pendenzen«, gerät es ihm wieder in die Hände. Er legt es auf den Korpus und schreibt »persönliche Ablage« drauf.

Monate später nutzt Nydegger ein Wochenende, um sein Büro aufzuräumen. Den Stoß auf dem Korpus füllt er in eine Archivschachtel mit der Aufschrift »Was auf dem Korpus lag«.

Ein halbes Jahr später liest er in einer Fachzeitschrift, daß es bei seinem größten Kunden einen Managementwechsel geben wird. Der neue starke Mann ist ein gewisser Übersax.

Jetzt sucht er die Archivschachtel »Was auf dem Korpus lag«.

Neues von Dings

Erinnerst du dich an Dings, wie hieß er schon wieder?«

»Wer?«

»Du weißt schon: Er war früher bei der Dings.«

»Der Selvag?«

»Nein, das war ein anderer. Den meine ich nicht. Das war ... ein Name mit A.«

»Der, an den ich mich erinnern soll?«

»Nein, der, der früher bei der – wie hieß sie schon wieder?«

»Wer?«

»Die Firma. Eben wußtest du es noch.«

»Die Selvag?«

»Genau. Selvag. Das war ein anderer. So ein Blonder.«

»Mehr ins Rotblonde?«

»Nein, das war ... der hieß ähnlich wie eine Ortschaft. Schaffhausen oder Pfäffikon oder ... was gibt es noch für Ortschaften?«

»Willisau, Unterengstringen, Mettmenstetten, Muri, Neuenburg, Augst.«

»Ja, irgendwie so hieß der.«

»Der Blonde?«

»Der Rotblonde. Der Blonde hieß anders. Etwas mit A.«

»Ach, jetzt weiß ich, wen du meinst. Ziemliche Stirnglatze.«

»Aber blond.«

»Jaja, jaja, wart, ich hab's gleich.«

»Etwas mit A.«

»Fuhr einen Dings.«

»Zuerst. Später hatte er einen… den gleichen wie… wie hieß der, er trug immer diese Mischgewebe.«

»Die so glänzen?«

»Ja. Etwas mit Poly.«

»Scirocco.«

»Genau. Er fuhr einen Scirocco. Wie hieß er gleich?«

»Der mit der Stirnglatze?«

»Der auch. Beide fuhren einen Scirocco. Etwas mit A.«

»Althaus?«

»Althaus fuhr einen Dings, wie hießen diese Zweisitzer?«

»Alder? Anderegg? Anliker?«

»Ist ja egal. Den meine ich jedenfalls nicht.«

»Amann? Attenhofer? Arber?«

»So ähnlich.«

»Ähnlich wie Arber?«

»Wie Attenhofer.«

»Attenhauser? Attendorfer? Attenberger? Attenwiler?«

»Ist ja egal. Ich meine den anderen.«

»Den, der bei der Selvag war?«

»Das ist der gleiche.«

»Der Blonde. Der mit A. Der, den du nicht meinst.«

»Genau. Ich meine den, der früher bei der Dings war.«

»Die Turbinen machte?«

»Textilmaschinen.«

»Die machten beides.«

»Aber er war bei den Textilmaschinen. Im Marketing.«

»Verkauf.«

»War das nicht zusammen?«

»Später. Da war er schon nicht mehr dort. Wenn wir den gleichen meinen.«

»Ich meine den Dings. Der nachher groß herauskam bei… bevor sie fusioniert wurden, etwas mit Engineering, ist ja egal.«

»Ach, den meinst du. Ich meinte, du meinst den Dings, der sich dann selber wegrationalisiert hat, ist ja egal, fällt mir dann schon wieder ein. Du meinst nicht den, du meinst den Dings, alles klar. Und? Was ist mit ihm?«

»Mit wem?«

»Eben: mit Dings.«

»Mit Dings? Ist ja egal, fällt mir dann schon wieder ein.«

Das Fleischliche bei Lupfigs

Ein milder Sommerabend. Fred Lupfig hat die Gäste zum Wagen gebracht und schlendert über den Plattenweg zum Haus zurück. Alles ist gutgegangen. Leuenberger ist ganz entspannt gewesen, hat sogar seinen Witz erzählt. Und seine Frau hat Barbara mit den Kaffeetassen geholfen. Man ist sich nähergekommen. Auch Stählis haben sich ganz offensichtlich wohl gefühlt. Sonst wären sie nicht bis jetzt geblieben. Es ist immerhin fast halb zwölf, spät für eine Dienstagseinladung. Doch, der Abend war ein Erfolg. Barbara sah gut aus in ihrem schlichten Kleid mit dem runden Ausschnitt. Er wird sie überreden, das Geschirr bis morgen stehenzulassen und mit ihm noch die Flasche auszutrinken. Und dann… Es ist wie gesagt ein milder Sommerabend.

Als Lupfig ins Wohnzimmer kommt, sieht er, daß Barbara die gleiche Idee hatte wie er. Sie steht nicht wie sonst in der Küche und macht noch schnell das Gröbste. Sie sitzt auf dem Sofa und hat schon ein Glas Wein in der Hand, das sie jetzt ansetzt und – in einem Zug leert.

»Laß noch einen Schluck für mich übrig, Schatz«, sagt er aufgeräumt und holt sich ein Glas in der Küche.

Als er zurückkommt, hat sich Barbara nachgeschenkt. Lupfig setzt sich neben sie aufs Sofa. Sie springt auf, als sei sie durch sein Gewicht hochkatapultiert worden, packt ihr Glas und verschwindet damit in der Küche.

Lupfig nimmt die Flasche und stellt fest, daß sie bis auf etwas Bodensatz leer ist. Er schenkt ihn sich ein und stellt sich damit in die Küchentür. Barbara steht am Spülbecken und trinkt.

»Ist doch gutgegangen, nicht?« sagt Lupfig diplomatisch.

Er bekommt keine Antwort.

»Ist etwas?«

»Ist etwas?« echot Barbara gereizt.

Spätestens jetzt weiß Lupfig: Es ist etwas. Er geht kurz die naheliegenden Dinge durch: Hat er sie unterbrochen, hat er sie Babs genannt, hat er vom Militär erzählt, hat er jemandem auf den Busen gestarrt? Aber es scheint etwas Schwerwiegenderes zu sein. Barbara drängt sich an ihm vorbei ins Wohnzimmer, stellt fest, daß die Weinflasche leer ist, stapft zurück in die Küche und – holt sich eine Dose Bier aus dem Kühlschrank. Reißt den Verschluß auf. Setzt die Dose an die Lippen.

Lupfig hat seine Frau noch nie Bier aus der Dose trinken sehen. Sie wischt sich den Mund mit dem Handrücken ab. »Das nächste Mal, wenn du mir Vegetarierinnen anschleppst, informier mich gefälligst.«

Jetzt, wo Barbara es erwähnt, fällt ihm auf, daß Frau Stähli die Speckwürfeli im *Salade Paysanne* stehengelassen hat. Was sie genau mit dem Kalbsfilet gemacht hat, ist ihm entgangen. »Vegetarierin? Wer?« fragt er scheinheilig.

»Die Stähli. Sag bloß, du hast es nicht gemerkt. So angewidert, wie sie die Speckwürfeli stehengelassen, und so märtyrerhaft, wie sie das Kalbsfilet unter den Pappardelle versteckt hat.«

»Vielleicht macht sie eine Diät.«

Barbara heult auf. »Diät! Hast du sie dir mal näher angesehen?«

Lupfig begeht den Fehler zu nicken.

»Dumme Frage«, schnaubt Barbara, »den ganzen Abend hast du nichts anderes gemacht, als sie dir genauer anzusehen.« Sie stürmt an ihm vorbei und knallt die Schlafzimmertür zu.

Ein milder Sommerabend. Aber Lupfigs schlafen heute vegetarisch.

Die hierarchische Äquivalenz

Die Strategiesitzung ist jetzt auf den siebzehnten anberaumt«, sagt Frau Stritt, während sie Odermatt die Briefe aus der Unterschriftenmappe reicht.

Ohne aufzuschauen, fragt er: »Wer nimmt alles teil?«

Frau Stritt zählt ein paar Namen auf. Odermatt murmelt: »Und Vogel?«

»Auf dem Verteiler ist er.«

Odermatt ist diese Antwort zuwenig verbindlich. Aber er läßt die Angelegenheit vorläufig auf sich beruhen. Frau Stritt muß nicht unbedingt merken, daß ihm die Frage wichtig ist.

»Frau Chassot?« ruft Vogel vom Schreibtisch aus durch die offene Tür seines Vorzimmers. »Könnten Sie einen Termin mit Odermatt machen, oder glauben Sie, ich sehe ihn ohnehin auf der Strategiesitzung?«

»Ich nehme es an. Er ist auf dem Verteiler.«

»Weiß man, ob er kommt?«

»Ich kann mich erkundigen.«

»Ach, lassen Sie nur. Nicht so wichtig.« Das fehlte noch, daß Odermatt zu Ohren kommt, Vogel habe sich erkundigt, ob er an der Strategiesitzung teilnimmt.

Ein paar Tage später begegnet Odermatt zufällig Müry im Lift. Sie wechseln ein paar Sätze über Damenfußball. Als Müry im siebten aussteigt, sagt er: »Wir sehen uns dann ja auf der Strategiesitzung.«

Odermatt ist nicht auf den Kopf gefallen. Müry ist einer von Vogels Zuträgern. Wenn er jetzt ja sagt, weiß es Vogel, bevor der Lift im elften angekommen ist. Odermatt täuscht einen kleinen Hustenanfall vor, gerade lang genug, um der Lifttür Zeit zu geben, sich zu schließen.

Die Frage von Vogels Teilnahme ist für Odermatt strategisch von viel größerer Bedeutung als die gesamte Strategiesitzung. Denn Vogel ist Odermatts hierarchisches Gegenstück. Wenn er teilnimmt, handelt es sich um eine Sitzung auf höchster Ebene mit subalterner Beteiligung. Die Tatsache und die Geste von Vogels Fernbleiben würden die Sitzung gleich doppelt entwerten. Und darüber hinaus Odermatt zu einem stempeln, der Zeit hat, an unwichtigen Sitzungen teilzunehmen.

»Kann man Brüssel nicht schieben?« fragt er Frau Stritt listig. »Zum Beispiel auf den siebzehnten.«

»Da haben Sie Strategiesitzung.«

»Kann das nicht Amhof machen?« stöhnt Odermatt. Amhof ist seine rechte Hand. Sich durch ihn vertreten zu lassen, anstatt der Sitzung nur fernzubleiben, wäre ein hierarchischer Tiefschlag, von dem sich Vogel nicht so rasch erholen würde.

»Diese Strategiesitzung zerschneidet mir den ganzen Tag, Frau Chassot«, seufzt etwa zur gleichen Zeit Vogel. »Ich glaube, ich überlasse das Schwendimann.«

Bei einem informellen Routinetreffen im Café Teddy warnen sich Frau Stritt und Frau Chassot gegenseitig vor der bevorstehenden Umbesetzung der Strategiesitzung und ersparen sich so ein paar schwere Tage mit übelgelaunten Chefs. Amhof und Schwendimann geben sie einen vertraulichen Tip, daß und durch wen sich die Gegenseite vertreten läßt.

»Weiß man, ob Amhof auch tatsächlich teilnimmt?« erkundigt sich Schwendimann bei seiner Sekretärin.

Und Amhof beauftragt seine Assistentin, diskret nachzuforschen, ob sich Schwendimann nicht eventuell durch Müry vertreten läßt.

Wengis Kriterien

Kölbli ißt mit Roux in einem Gartenlokal einen Grill-spieß mit Kartoffelsalat. Es ist ein schwüler Sommerabend, und statt zu zahlen nehmen sie noch einen halben Ge-spritzten. Ihre Familien sind in den Ferien, und im Büro geht es dieser Tage gemächlicher zu, als sie ihren Frauen gegenüber zugeben. Wenn es morgen etwas später wird, bricht der Laden nicht zusammen.

Sie sprechen über dieses und jenes und landen bald, wie immer, wenn zwei von Elpiag zusammensitzen, bei Wengi, ihrem und ihrer aller Chef.

Wer bei der Elpiag Karriere machen will, muß sich mit Wengi gutstellen. Die Frage, wie man das macht, ist Ge-genstand der meisten informellen Kadergespräche. Einig ist man sich nur darin, daß es nichts mit der persönlichen Leistung zu tun haben kann. Die Liste derer, die es sonst nicht so weit gebracht hätten, ist zu lang.

Ein paar Kriterien gelten als gesichert. Zum Beispiel das mit den Schuhen. Wengi achtet auf die Schuhe. Nicht so sehr auf die Machart als auf den Zustand. Abgelatschte Absätze beweisen, daß der Schuhträger Probleme nicht rechtzeitig in Angriff nimmt. Daß er einen kleinen Auf-wand scheut und dafür einen größeren in Kauf nimmt. Diese Information stammt von einer inzwischen pensionierten Sekretärin von Wengi, die behauptet, sie aus *seinem* Mund gehört zu haben. Ob sie tatsächlich stimmt, wird wohl nie festzustellen sein. Dazu ist die Absatzbar gleich um die Ecke neben der Elpiag zu gut ausgelastet.

Ein anderes Kriterium, das als unbestritten gilt, ist die Ordnung im Wagen. Die gleiche Sekretärin im Ruhestand hat bei gleicher Gelegenheit (der Verlängerung ihres Abschiedsapéros in der ›Gloria-Bar‹) enthüllt, daß Wengi manchmal in der Tiefgarage herumschleicht und durch die Scheiben der Autos seiner Mitarbeiter linst. Werbebeilagen der Tageszeitung auf dem Beifahrersitz, Kinderspielsachen und angebrochene Biskuitrollen auf dem Rücksitz, Kleenexboxen auf der Hutablage gelten ihm als Beweis für eine latente Schlampigkeit, die sich früher oder später auch im Geschäftlichen manifestieren würde.

Kölbli und Roux sind schon ein paar Jahre dabei und halten sich nicht mehr mit Wengis als gesichert geltenden Beurteilungskriterien auf. Ihre Spekulationen drehen sich um neue Erkenntnisse. Um den entscheidenden Wissensvorsprung vor ihren Mitbewerbern.

Roux behauptet an diesem Abend, über Hinweise zu verfügen, daß Wengi den doppelten Windsorknoten als Beweis für einen Hang zur Zeitverschwendung betrachtet. Sie lassen im Geiste ihre gefährlichsten Karrierekonkurrenten vorbeiziehen und versuchen sich deren Krawattenknoten in Erinnerung zu rufen. Sie tun das, bis das Lokal schließt.

Die Nacht ist immer noch warm, die Familie immer noch in den Ferien, und beide können sich nicht erinnern, wann sie das letzte Mal in einem Nachtlokal gewesen sind. Sie nehmen ein allerletztes Glas im ›Voodoo‹.

In der Plüschnische nahe bei ihrem Tisch sitzt ein Herr. Zwei mandeläugige Tänzerinnen flößen ihm Champagner ein, weil er keine Hand frei hat. Als er zu ihnen herübersieht, erkennen sie Wengi. Erschrocken nicken sie ihm zu.

Seither gilt als absolut gesichert, daß Wengi eher einen mit abgelatschten Absätzen befördert als zwei, die ihm in Nachtlokalen zunicken.

Weder läßt sich inspirieren

Ein Manager vom Schlage Weders bleibt auch in den Ferien am Ball. Er liest – wenn auch mit einem Tag Verspätung – die heimische und internationale Presse, hält per Fax und Handy den Kontakt zum Backoffice aufrecht und auch sonst die Augen offen.

Weder ist kein Strandmensch, dazu fehlen ihm Geduld und Körperbau. Während seine Frau und die Kinder den Wucherpreis für Strandzelt, Schirme und Liegestühle amortisieren, hält er sich lieber im Schatten der Straßencafés auf. Dort holt er sich seine Inspiration.

Wenn einer ein gutes Auge hat und ein Gespür dafür, wo die Dinge geschehen, kann er sich teure Reports und Newsletters von selbsternannten Trendforschern ersparen. Bereits am zweiten Ferientag fällt Weder ein junges Mädchen auf. Nicht ihr brauner, geschmeidiger Körper, ihre knappen Shorts und ihr enges, nabelfreies T-Shirt faszinieren ihn, obwohl sie ihm auch nicht gerade entgehen. Es ist der Anblick ihrer Schuhe, der ihn nicht mehr losläßt. Zuerst sieht er von seinem Beobachtungsposten aus nur den linken und glaubt einen Moment, es handle sich um eine orthopädische Maßanfertigung, mit der das Mädchen eine Verkürzung des linken Beines korrigiert. Er fragt sich, wie lang dann erst das unverkürzte Bein sein muß, und senkt die *Financial Times* ein paar Zentimeter. Aber auch am rechten Fuß trägt sie dieses Schuhwerk, das aussieht wie der geglückte Versuch eines Herstellers von Braunkohleförderanlagen, einmal etwas Unförmiges herzustellen. Das Mädchen, eigentlich zum Schweben gebaut, verläßt das Lokal mit dem schweren Schritt eines ausgemusterten Haflingers.

Von da an sieht er immer mehr schlanke Fesseln zartgliedriger Frauen in Schuhen wie ferngesteuerte Minensuchgeräte verschwinden. Hat er etwa einen neuen Trend entdeckt?

»Fällt dir auch auf, daß die jungen Frauen so klobige Schuhe tragen?« fragt er am dritten Ferientag seine Frau beim Apéro.

Sie schaut ihn müde an. »Nicht mehr«, antwortet sie. »Ich habe mich längst daran gewöhnt.«

Weder entnimmt dieser Antwort den leisen Vorwurf, daß es sich um einen Trend handelt, der ihm schon früher hätte auffallen können. Aber den Trend erkennen ist das eine. Ihn richtig interpretieren das andere. Und das hat seines Wissens bisher noch niemand getan. Jedenfalls nicht in seiner Branche.

Die nächsten Tage verbringt Weder damit, den Trend zu deuten. Warum wollen junge Frauen aussehen, als würden sie im Hochsommer ihre neuen Skischuhe einlaufen? Wollen sie zeigen, wie fest sie mit beiden Füßen auf dem Boden stehen? Oder ist es die Ironisierung des männlichen Elements? Der Mut zur – wenn auch nur partiellen – Häßlichkeit? Die Abschreckung mittelalterlicher Herren mit Sonnenbrille, die ihnen hinter der *Financial Times* auf die

Beine starren? Die Faust aufs Auge des Voyeurs? Oder handelt es sich einfach um die Betonung des Schönen durch den Kontrast des Unschönen? Diskrepanz um der Diskrepanz willen? Stilbruch als Stil?

Bis zum Ende der Ferien widmet sich Weder in Anschauung und Theorie intensiv dem Studium dieser Frage.

Am ersten Arbeitstag ordnet er an, die neue Abfüllanlage KX 234-GS auf 120 Millimeter Stahlprofile zu stellen und die Schweißnähte roh zu belassen.

Philosoph Holzner

Als Tribold Holzners Büro betritt, steht der versonnen am Fenster und blickt übers Werksgelände.

»Sie wollten mich sprechen?«

Holzner deutet in einer theatralischen Geste zum Fenster. Dann läßt er den rechten Arm wieder sinken, halb fragend, halb resigniert. »Sprechen?« sagt er. »Schweigen?«

Er schaut weiter zum Fenster hinaus und scheint Tribold zu vergessen.

Nach einer Weile räuspert sich dieser. »Wenn nichts Dringendes vorliegt, würde ich dann, ehem, ich bin ziemlich unter Druck, Bremerhaven, Sie wissen schon.«

Holzner reißt sich vom Anblick des Werkgeländes los. »Soso, unter Druck, Bremerhaven.« Er läßt sich aufs Besuchersofa fallen und weist auf einen Sessel. »Setzen Sie sich, Tribold. Schalten Sie einmal ab. Lassen Sie Bremerhaven Bremerhaven sein. Machen Sie sich nicht kaputt.«

Tribold setzt sich folgsam und wartet, bis Holzner zur Sache kommt. Dieser mustert ihn ernst. Plötzlich lächelt er. Tribold lächelt zurück.

»Wofür tun wir das, Tribold?«

»Sie meinen, Bremerhaven?«

»Bremerhaven, Basildon, Le Havre, alles. Wofür tun wir

das? Was bewegt uns, morgens aufzustehen und an Sitzungen teilzunehmen und Projekte voranzutreiben? Wo sitzt die Triebfeder? Und vor allem: Was spannt sie?«

Tribold muß raten: »Jahresergebnis? Wachstum? Karriere?«

Holzner lächelt milde. »Ach, Tribold, Tribold.« Er schüttelt den Kopf. »Das kann es doch nicht sein. Da muß doch noch etwas anderes dahinterstecken. Was glauben Sie?«

Tribold wird nervös. »Ich müßte mich vorgängig mit der Frage näher befassen, so aus dem Stand, Sie verstehen…«

»Werden Sie doch nicht nervös, das ist kein Test. Ich weiß die Antwort ja selber nicht. Manchmal…« Holzner läßt seinen Blick zum Fenster schweifen »…manchmal muß man auch über den Tag hinausdenken und sich mit Fragen beschäftigen, die über das *daily business* hinausgehen.« Holzner zieht die Brille aus und läßt ihren linken Bügel tief in den Mund gleiten.

Tribold weiß nicht, was von ihm erwartet wird. Nach Minuten des grüblerischen Schweigens sagt er: »Anerkennung?«

Holzner blickt auf und kommt langsam zurück von jenem fernen, fernen Punkt im All, wo er die letzten hundert Jahre gewesen ist. »Sie erstaunen mich, Tribold. Kein schlechter Vorschlag: Anerkennung. Vielleicht dürfen wir noch einen Schritt weiter gehen und sagen – Liebe?«

Das Wort schwebt im Raum wie eine Seifenblase. Schweigend warten beide darauf, daß sie platzt.

Holzner spricht als erster wieder: »Oder das Bedürfnis,

für einen Sekundenbruchteil eine winzige Spur zu hinterlassen. – Im Triebsand der Unendlichkeit.«

Der Sand erinnert Tribold an Bremerhaven und die Unendlichkeit an die zwei Wochen Rückstand auf den Terminplan. Aber er läßt sich nichts anmerken. Nickt nur schwer und wartet, bis ihn Holzner springen läßt.

Das tut er dann nach weiteren fünzehn Minuten mit den Worten: »Sehen Sie, Tribold, ab und zu über die großen Fragen nachdenken rückt die Dinge wieder ins richtige Licht.«

Als Tribold gegangen ist, schaut Holzner auf die Uhr und notiert auf seinem Zeitrapportformular: 14:32 bis 15:18 Gespr. mit Tribold.

Bäumlers Terminkollision

Bäumler ist spät dran. Wenn die vor ihm an der Ampel nicht alle schlafen würden, hätte es noch gereicht. Und im Radio bringen sie schon wieder etwas über die Sonnenfinsternis. Er sucht gereizt einen anderen Sender. Aber ein Satz klingt in seinem Kopf nach. »Elfter August, mittags um halb eins.« Der Termin kommt ihm bekannt vor. Da hat er mit Hodel abgemacht. Im Schloß, weißer Teil, natürlich. Hodel ist schließlich ein neuer Kunde. Oder wird es spätestens nach diesem Lunch sein.

Bäumler geht zurück zum Sender mit der Sonnenfinsternis. Hinter ihm hupt es. Die Kolonne vor ihm ist weg und die Ampel bereits wieder auf Rot.

Bis ins Büro hört er dem Geschwätz über Nostradamus, Teissier und Uriella zu. Aber der Zeitpunkt der Finsternis wird nicht wieder erwähnt.

»Ach, diese Finsternis, Frau Stamm, haben Sie zufällig eine Ahnung, wann die genau stattfindet?« erkundigt er sich im Vorbeigehen bei seiner Sekretärin.

»Elfter August, mittags um halb eins.«

Bäumler hofft, daß Frau Stamm nicht gesehen hat, wie ihm das Blut in die Wangen schießt. Er setzt sich an den Schreibtisch und holt Luft. Die Sonnenfinsternis kollidiert voll mit Hodel. Wie bringt er das Brigitte und den Kindern bei? Vor allem Carlo, der schon von seinem Taschengeld vier Schutzbrillen gekauft und auf jede mit Farbstiften Mami, Papi, Evi und Ich draufgeschrieben hat.

Soll er den Termin verschieben? Aber mit welcher Begründung? Sonnenfinsternis wird Hodel kaum gelten lassen, sonst hätte er den Termin nicht vorgeschlagen.

Den halben Vormittag wälzt Bäumler das Problem. Kurz vor Mittag greift er zum Hörer und läßt sich mit Hodel verbinden. Der spricht gerade auf einer anderen Linie.

Und wenn er denkt, ich wolle den Termin aus Aberglaube verschieben? schießt es Bäumler durch den Kopf, während er sein Sprüchlein mit dem Jahrhundertereignis und der Famile im Geist repetiert. Sieht das nicht so aus, als glaubte er, daß die Stunde zwischen zwölf und eins am elften August die letzte ist, die der Welt und seiner Familie schlägt? Vielleicht hat Hodel den Zeitpunkt absichtlich gewählt, um seine Zuverlässigkeit zu testen.

Als Hodel sich meldet, sagt Bäumler, er habe sich nur vergewissern wollen, daß der Termin am Elften in Ordnung gehe.

»Manchmal kann der Papi ein Versprechen nicht halten, weil er für dich und Evi und Mami die Batzeli verdienen muß, damit ihr zu essen habt«, erklärt er dem untröstlichen Carlo.

»Als ob wir verhungern würden, wenn du einmal im Leben einen Termin verschiebst«, schnaubt Brigitte, als sich der Junge endlich in den Schlaf geweint hat. Dann spricht sie die ganze Woche nicht mehr mit ihm.

Am elften August ist Bäumler pünktlich im Schloß. Er ist der einzige Gast. Alle anderen stehen mit Kartonbrillen auf der Nase an der Straße und starren in den dunklen Himmel. Erst gegen ein Uhr beginnt sich das Lokal mit angeregt plaudernden Gästen zu füllen. Aber weit und breit kein Hodel.

Um Viertel nach eins geht Bäumler telefonieren. Als er zurückkommt, betritt Hodel gerade das Lokal. »Prima«, sagt er, »prima, daß Sie auch erst jetzt kommen. Ein Ereignis, das erst wieder 2081 stattfindet, muß man doch gemeinsam mit seiner Familie erleben, nicht wahr?«

Strategische Planung

Voser sitzt strategisch perfekt: sechste Reihe, achter Platz. Weit genug hinten, um die Big Shots im Auge zu behalten. Aber nicht so weit, daß es aussieht, als gehöre er nicht dazu.

Der Anlaß – ein Vortrag über Change Management – ist erwartungsgemäß gut besetzt. Becher von ATK, Börner von Seco und Helmann von O. T. hat er ausgemacht. Kurtner von der WagAg ist da, und sogar Schwandler von Devia hat sich bequemt.

Im fahlen Widerschein der Charts, die über die Leinwand ziehen, bastelt Voser an der Hitparade der Persönlichkeiten, mit denen er den Imbiß zu sich zu nehmen gedenkt. Schwandler von Devia ist die unbestrittene Nummer eins. Wegen den Fusionsgerüchten gehört er zu den meistzitierten Managern der letzten Wochen. Wo er ist, sind die Kameras nicht weit. Auf Platz zwei wird es enger. Börner von Seco und Kurtner von der WagAg sind heiße Anwärter. Aber auch Helmann gilt es zu beachten. Sein Wechsel zu ZZW scheint so gut wie sicher. Becher hingegen ist klar dritte Wahl. Allerdings hört er sich den Vortrag an der Seite von Schwandler an. Nicht auszuschließen, daß sich die Konstellation bis zum Imbiß hält. Er sollte also auch die Option Becher nicht ganz außer acht lassen.

Daß er auf Platz acht sitzt, gibt ihm Zeit. Er wird gleichzeitig mit den Big Shots den Speisesaal erreichen und spontan entscheiden, zu wem er sich setzt.

Der Vortrag zieht sich in die Länge. Voser nutzt die Zeit, um verschiedene Szenarien durchzuspielen: Könnte ja sein, daß Schwandler nicht zum Imbiß bleibt. In diesem Fall müßte er sich zwischen Börner, Kurtner und eventuell Helmann entscheiden. Falls Schwandler bleibt, würde er sich die Option Becher offenhalten, jederzeit bereit abzuspringen, falls die Paarung Schwandler/Becher sich nicht hält. Falls aber in Anbetracht des öffentlichen Interesses Schwandler allzusehr umlagert wird, würde er sich rechtzeitig Kurtner?, Börner?, Helmann?... Dann würde er sich Börner anschließen. Obwohl – falls sich die Sache mit Helmann und der zzw bestätigen sollte...

Voser wird von einem höflichen Applaus aus seinen Gedanken aufgeschreckt. Sofort stehen die Zuhörer seiner Reihe auf. Er wird hinausgedrängt, noch bevor ein einziger seiner potentiellen Tischpartner steht.

Im Speisesaal herrscht Unschlüssigkeit. Die meisten Leute, neben die sich die meisten Leute setzen wollen, befinden sich noch im Konferenzsaal.

Jetzt betritt Helmann den Saal. Er steuert direkt auf Voser zu. Aber Voser gibt vor, ihn nicht zu sehen. Das Risiko, daß das Gerücht mit zzw nicht zutrifft, ist ihm zu groß. Und in der Tür zeichnet sich jetzt die Silhouette von Kurtner ab. Dann kann auch Börner nicht weit sein. Voser behält sich beide Optionen offen, bis klar ist, ob sich Becher immer noch im Magnetfeld von Schwandler befindet.

Börner taucht auf, in Begleitung von – Becher. Beide

nicken Voser zu und setzen sich. Kurtner sitzt jetzt auch, aber ein Platz neben ihm ist noch frei.

Endlich erscheint Schwandler. Allein! Er schaut sich um und setzt sich an den freien Platz an Börner und Bechers Tisch.

Dann eben doch Kurtner, beschließt Voser. Und sieht gerade noch, wie sich Helmann neben diesen setzt.

Scheitlins Hintergrundinformation

In der Kundenakquisition ist die Qualität des Projektes Nebensache. Natürlich muß das Angebot passabel und konkurrenzfähig sein. Aber das sind Angebote immer. Die eigenen und die der Konkurrenz. Den Ausschlag geben die Kleinigkeiten. Scheitlin kennt Fälle, wo die Auftragsvergabe an der Konsistenz der Kanapees gescheitert ist, die nach der Projektpräsentation gereicht wurden. Er hat erlebt, daß ein Großauftrag an die Konkurrenz ging, nur weil dem Projektleiter in der gelösten Stimmung der Vertragsunterzeichnung eine abfällige Bemerkung über Zwergpinscher herausgerutscht war.

Informationslücken über den neuen Auftrag sind peinlich. Informationslücken über den Mann, der ihn vergibt, tödlich. Deswegen investiert Scheitlin einen großen Teil seines Akquisitionsaufwandes in den Menschen hinter dem Auftrag. Jedes Detail ist wichtig: Ernährt er sich normal, oder ist er Veganer? Ist er Offizier, oder trägt er der Armee nach, daß er damals den Offiziersvorschlag nicht bekam? Züchtet seine Frau Zwergpinscher?

Im Fall Mathieu strengt Scheitlin sich besonders an. Mathieu ist der Mann, der letztlich über die Vergabe des Robotek-Auftrags entscheidet, mit dem Scheitlins Optionen einen Quantensprung machen würden. Bisher hat er in Erfahrung bringen können, daß Mathieu einen Cocker-spaniel besitzt, nach Büroschluß ab und zu die Papier-körbe seiner Mitarbeiter durchwühlt und Gönnermitglied des Modellfliegerklubs seiner Wohngemeinde ist. Den ent-scheidenden Hinweis erhält er dann von Engi, den er im Rahmen seiner Recherchen in den ›Silbernen Schlüssel‹ einlädt. Engi ist ein alter Jobhopper, der auch ein Inter-mezzo bei Robotek hinter sich hat. Er gibt sich acht Gänge lang diskret, erst beim Armagnac 1912 läßt er eine Bemerkung fallen, die Scheitlin darauf schließen läßt, daß Mathieu es die Engländer angetan haben. Ein wenig unge-wöhnlich für jemanden mit dem Namen Jean Luc Ma-thieu, aber gerade deshalb Gold wert als Backgroundinfor-mation. Die Konkurrenz wird voll auf der französischen Schiene fahren. Sie wird ihre Exposés mit französischen Fachausdrücken spicken und das Catering bei ›Chez Yves‹ bestellen.

Scheitlin wird sie mit der englischen Eröffnung aus dem Feld schlagen.

Das Wichtigste bei der »Assimilation an den Kunden«, wie es Scheitlin nennt, ist, daß man sie nicht übertreibt. Wer zu dick aufträgt mit den Signalen der Seelenver-wandtschaft, gerät in den Verdacht der Arschkriecherei. Ein paar Details, beiläufig hingestreut, wirken überzeu-gender.

Am Tag der Präsentation trägt das ganze Team Nadel-streifen und Klubkrawatten. Auf dem Sitzungstisch stehen schottisches Mineralwasser und Muffins.

Daß Mathieu einen hellbeigen Anzug trägt, irritiert Scheitlin noch nicht. Es ist ein heißer Spätsommertag.

Auch daß er den English Breakfast Tea ablehnt und Espresso bestellt, beunruhigt ihn nicht weiter. Aber daß er die Muffins nicht anrührt, gibt ihm zu denken. Und als er sich jeden von Schnider in reinstem Oxford-Englisch vorgetragenen Fachausdruck gereizt übersetzen läßt, merkt Scheitlin, daß etwas schiefläuft.

Dabei könnte er schwören, daß Engi gesagt hatte, Mathieu sei anglophob.

Ausgerechnet Babst

Zeller kauft für die Fahrt nach Bern am Bahnhofskiosk die *Wirtschaftspresse,* denn es ist Freitag. Er findet einen Einzelsitz ohne Gegenüber, nimmt einen Kaffee und ein Gipfeli von der Minibar und freut sich auf einen angenehmen Tag. Die Sitzung in Bern ist Routine. Danach wird man im ›Mutz‹ essen und es dabei nicht eilig haben. Spätestens mit dem Dreiuhrzug wird er ins Wochenende fahren. Er überfliegt die Frontseite und beginnt zu blättern, um sich einen ersten Überblick zu verschaffen.

Auf Seite fünf blickt ihm Babst entgegen! Babst! In einem dreiteiligen Anzug, die linke Hand in der Tasche, den rechten Ellbogen auf einer Art Stehpult ruhend! Warum nicht gleich auf einer Marmorsäule?

Zeller ist froh, daß er sein Gipfeli runtergeschluckt hat, er wäre glatt daran erstickt. Er läßt die Zeitung sinken und tut, als schaue er aus dem Fenster. Das wirkt nicht sehr überzeugend, denn der Zug fährt gerade durch einen Tunnel. Das einzige, was er sieht, ist sein eigenes, versteinertes Gesicht.

Vielleicht, denkt er, ist es ja eine Enthüllungsstory über Babsts Unfähigkeit auf ausnahmslos jedem erdenklichen Gebiet des Managements. Zeller schöpft etwas Hoffnung. Aber nur für ein paar Sekunden. Die Schlagzeile lautet:

»Der Troubleshooter.« Babst! Der Ursprung aller Troubles ein Troubleshooter! Einen Moment lang erwägt Zeller allen Ernstes, die Notbremse zu ziehen. Einfach aus Protest gegen die Monstrosität dieser Aussage und des Tatbestands der bildlichen und textlichen Erwähnung von Babst auf einer ganzen Seite der *Wirtschaftspresse*. Aber dann sieht er davon ab und konzentriert sich stattdessen auf seine Anstrengungen, den Bericht nicht zu lesen. Es gelingt ihm nicht. Wörter wie »Bilderbuchkarriere«, »Motivationsprofi«, »Durchsetzer« springen ihn an und fügen sich – gegen seinen Willen – zum mit Abstand schmierigsten Gefälligkeitsporträt, das ihm je unter die Augen gekommen ist. Zweifellos bezahlt. Und das nicht zu knapp. Einen Schwachkopf wie Babst auf einer Seite der *Wirtschaftspresse* loben zu lassen muß ein Vermögen kosten. Vom Foto ganz zu schweigen. Dieses Teiggesicht ohne die Spur einer Ausstrahlung wie einen seiner schweren Verantwortung vollbewußten Weltwirtschaftskapitän aussehen zu lassen, dazu braucht es einen Künstler von internationalem Rang.

Zeller streckt die Hand nach dem Pappbecher mit dem Kaffee aus, läßt es dann aber doch lieber bleiben. Sein Puls ist so schon hoch genug.

Er legt den Kopf zurück und schließt die Augen. Soso, also auch die *Wirtschaftspresse*. Käuflich. Babst auf einer ganzen Seite! Aber er, Zeller, noch nie auch nur in der »Leute«-Rubrik erwähnt.

Im Abteil schräg gegenüber legt einer seine Tageszeitung beiseite und nimmt die *Wirtschaftspresse* aus der Mappe. Zeller kann nicht anders, als ihm degoutiert zu-

zulächeln, als dieser zur Seite fünf kommt. Der Mann runzelt irritiert die Stirn und liest den Beitrag mit Interesse und ohne äußere Anzeichen von Abscheu.

Bis Bern formuliert Zeller im Geiste einen Leserbrief, in dem neunmal das Wort »Arschloch« und zweimal das Wort »Arschlöcher« vorkommt.

Bei der Sitzung begrüßt ihn Fleuti mit der Frage: »Das über Babst in der *Wirtschaftspresse* schon gelesen?«

»*Wirtschaftspresse?*« antwortet Zeller vage. »Lese ich nie.«

Das Ende der Solidarität

Bader läßt sich scheiden.«

»Überrascht dich das?«

»Irgendwie schon. Hat doch sonst alles im Griff.«

»Findest du?«

»Erweckt jedenfalls den Anschein.«

»Damit kannst du vielleicht ein Unternehmen führen. Aber doch keine gute Ehe.«

»Seine Zahlen können sich jedenfalls sehen lassen.«

»Einem Verwaltungsrat kannst du etwas vormachen. Einer Ehefrau nicht.«

»Trotzdem: Es hat mich beschäftigt, als ich es erfuhr.«

»Die Frage, wie man Bader überhaupt heiraten kann, beschäftigt mich mehr.«

»Erfolg, Geld, Macht. Viele Frauen stehen auf so was. Der Onassis-Effekt.«

»En miniature.«

»Und nicht zu vergessen: die erotische Komponente.«

»Hör auf, mir wird schlecht.«

»Die spielt immer mit. Auch bei Bader.«

»Bei seiner Scheidung vielleicht. Aber doch nicht bei seiner Heirat!«

»Ich geb's zu: nicht ganz leicht vorzustellen.«

»Ich werde mich hüten, es zu versuchen. Schon angezogen kein schöner Anblick.«

»Da kann er nichts dafür. Wenn ein Mensch keinen Arsch hat, dann hat er keinen, da kann er noch so viel in sich hineinstopfen.«

»Du meinst, er hat sich seinen Hängebauch beim Versuch geholt, sich einen Arsch anzufressen?«

»Aus kulinarischen Gründen jedenfalls nicht. So wie der schlingt.«

»Auch das kein schöner Anblick.«

»Nur nicht, wenn er dazu redet.«

»Das tut er immer.«

»Menschen, die essen wie Bader, sollten vielleicht keinen Schnurrbart tragen.«

»Tragen *dürfen.* Auch wenn sie eine dreiviertel Kiste im Jahr abholen.«

»Eine dreiviertel Kiste?«

»Plus Fringe Benefits. Plus Bonus. Plus Optionen.«

»Woher hast du das?«

»Aus sicherer Quelle.«

»Eine dreiviertel Kiste plus!«

»Aber aus dem Mund stinken.«

»Das fällt dir also auch auf?«

»Wem nicht? Warum gehen alle zu Fuß, wenn Bader im Lift ist?«

»Ich frage mich, woher das kommt.«

»Essensreste zwischen den Zähnen.«

»Bei einem, der nicht kaut?«

»Stimmt. Vielleicht riecht etwas anderes.«

»Wenn du mich fragst: der Charakter.«

»Eben noch hast du ihn in Schutz genommen.«

»Da wußte ich das von der dreiviertel Kiste plus noch nicht.«

»Was ändert das?«

»Er ist nicht mehr einer von uns.«

»Das wußtest du doch, daß der mehr abholt als wir.«

»Schon. Aber nicht so viel.«

»Wo liegt da bei dir die Grenze?«

»Plus minus zwanzig Prozent.«

»Zurück zu Baders Scheidung: Weiß man, wer sie will?«

»Sie, wer sonst.«

»Und der Scheidungsgrund? Mundgeruch?«

»Nein. Beruf.«

»Verstehe. Nie zu Hause.«

»Wahrscheinlich eher zu oft.«

Die Frau hinter Hostettler

Maja Hostettler ist Hostettlers engste Beraterin, wenn es um Fragen geht, die im weitesten Sinn karriererelevant sind. Jeden Abend, an dem er nicht beruflich verhindert ist, berichtet er ihr detailliert über die Kollegen, Konkurrenten und Vorgesetzten, die sein Weiterkommen auf die eine oder andere Art beeinflussen könnten. Sie hört ihm aufmerksam zu und gewichtet die Informationen aus ihrer – der weiblich-intuitiven – Sicht. Sie kennt das berufliche Umfeld ihres Mannes inzwischen genauso gut wie er und weiß, ob ihm jemand eine Information aus Versehen oder mit Absicht vorenthalten hat, wie er auf das Fehlen seines Namens auf der Präsenzliste eines Sitzungsprotokolls reagieren soll und welche Krawatte sowohl zu seinem Anzug als auch zu seinen Terminen paßt. Hostettlers Karriere ist zwar nicht gerade steil verlaufen. Aber daß sie wenigstens keine Knicke aufweist, hat er vor allem Majas Beratung zu verdanken.

Diese ist gerade jetzt wieder sehr gefragt, wo Hostettler bei der fälligen Beförderung zum Mitglied des Direktoriums übergangen wurde.

»Vielleicht bist du zu farblos«, sagt Maja beim Essen.

»Farblos?« fragt Hostettler und schaut an sich herunter. Die Krawatte kann sie nicht meinen.

»Du trinkst nicht, rauchst nicht, hast keine Freundin.«

»Aber das spricht doch eher für mich, sollte man meinen.«

»Nicht in den Augen von Wellauer.«

»Ich kann doch wegen dem nicht anfangen zu saufen und zu schloten«, protestiert Hostettler.

Maja schüttelt den Kopf.

»Du meinst…?«

Maja hebt die Schultern. »Sie kann ja auch nur vorgetäuscht sein.«

»Und das würde dir nichts ausmachen?«

»Wenn es deine Ausgangslage bei Wellauer verbessert, habe ich ja auch etwas davon.«

Hostettler beginnt also mit Majas Hilfe eine Affäre vorzutäuschen. Er turtelt mit ihr vor Zeugen am Telefon, nennt sie »Mäuschen« und verabredet sich für den Abend. Dann ruft er sie vor den gleichen Zeugen wieder an, nennt sie »Maja« und bittet sie, nicht mit dem Essen auf ihn zu warten, »ein Meeting mit open end«.

Es dauert nicht lange, bis es sich herumgesprochen hat. Schon nach ein paar Tagen kann er Maja rapportieren, daß ihm Wellauer nach Feierabend in der Tiefgarage aus dem offenen Fenster seines BMW augenzwinkernd »schönes open end« zugerufen hat.

Maja doppelt sofort nach. Hostettler muß sich jeden Freitag im ›Hilton‹ ein Doppelzimmer mieten und Champagnerimbisse für zwei ins Zimmer kommen lassen. Die Rechnung muß er jeweils mit der Firmenkreditkarte bezahlen und in der Buchhaltung verschwörerisch rückerstatten, »bevor sie auf Wellauers Schreibtisch landet«.

Fast täglich kann er Maja jetzt von Fortschritten in seiner Beziehung zu Wellauer berichten. Dessen frühere Distanz ihm gegenüber ist einer fast freundschaftlichen Vertraulichkeit gewichen.

An einem Freitag, sechs Wochen nach Beginn der »Affäre«, ist sich Hostettler seiner Sache so sicher, daß er das fingierte Schäferstündchen im ›Hilton‹ spontan abbricht und schon um zehn nach Hause fährt.

Vor dem Gartentor parkt Wellauers BMW.

Martin Suter
im Diogenes Verlag

Small World
Roman

Erst sind es Kleinigkeiten: Konrad Lang, Mitte Sechzig, stellt aus Versehen seine Brieftasche in den Kühlschrank. Bald vergißt er den Namen der Frau, die er heiraten will. Je mehr Neugedächtnis ihm die Krankheit – Alzheimer – raubt, desto stärker kommen früheste Erinnerungen auf. Und das beunruhigt eine millionenschwere alte Dame, mit der Konrad seit seiner Kindheit auf die ungewöhnlichste Art verbunden ist.

»Genau recherchiert, sprachlich präzis und raffiniert erzählt. Dramatisch geschickt verflicht Martin Suter eine Krankengeschichte mit einer Kriminalstory. Ein literarisch weit über die Schweiz hinausweisender Roman.«
Michael Bauer / Süddeutsche Zeitung, München

»Fesselnd. Eine der großen Qualitäten von Martin Suters Roman liegt in der Präzision, mit der er die Krankheit und Umgebung beschreibt, und in der Gelassenheit, mit der er die Geschichte langsam vorantreibt.«
Le Monde, Paris

Martin Suter wurde für seinen Roman *Small World* mit dem französischen Literaturpreis ›Prix du premier roman étranger‹ ausgezeichnet.

Die dunkle Seite des Mondes
Roman

Starwirtschaftsanwalt Urs Blank, fünfundvierzig, Fachmann für Fusionsverhandlungen, hat seine Gefühle im Griff. Doch dann gerät sein Leben aus den Fugen. Ein Trip mit halluzinogenen Pilzen führt zu einer gefährlichen Persönlichkeitsveränderung, aus der ihn niemand zurückzuholen vermag. Blank flieht in den Wald. Bis er endlich begreift: Es gibt nur einen Weg, um sich aus diesem Alptraum zu befreien.

»Das Buch ist spannend wie ein Thriller und trifft wie ein Psycho-Roman – eine ungewöhnliche Variante von *Dr. Jekyll und Mr. Hyde*.«
Karin Weber-Duve / Brigitte, Hamburg

Business Class
Geschichten aus der Welt des Managements

Business Class spielt auf dem glatten Parkett der Chefetagen, im Dschungel des mittleren Managements, in der Welt der ausgebrannten niederen Chargen, beschreibt Riten und Eitelkeiten, Intrigen und Ängste einer streßgeplagten Zunft.

»Höchst amüsant. Martin Suter kennt sich unter jenen Männern aus, die alle mit hehren Absichten und gepanzerten Ellbogen ins Dickicht der ›Business Class‹ drängen. Wie kleine ethnologische Erkundungen lesen sich seine Kolumnen.«
Martin Zingg / Neue Zürcher Zeitung

»Woche für Woche ein Hieb in die nadelgestreifte Seite der Männerwelt.«
Jürg Ramspeck / Die Weltwoche, Zürich

Ein perfekter Freund
Roman

Durch eine rätselhafte Kopfverletzung hat der Journalist Fabio Rossi eine Amnesie von fünfzig Tagen. Als er seine Vergangenheit zu rekonstruieren beginnt, stößt er dabei auf ein Bild von sich, das ihn zutiefst befremdet. Er scheint merkwürdige Dinge getan, ein seltsames Verhalten an den Tag gelegt zu haben in jener Zeit. Aber offenbar gibt es Leute, denen es lieber wäre, jener Fabio bliebe ausgelöscht.

»Martin Suter schafft es, die Balance zwischen Psycho-
thriller und Kriminalroman zu halten – auf erfreulich
hohem literarischen Niveau.« *Der Spiegel, Hamburg*

Business Class
Neue Geschichten aus der Welt des Managements

Die Welt teilt sich in die, die überholen, und die, die
überholt werden. Wer möchte da nicht auf der richtigen Spur sein. Was es dabei zu beachten gilt, erfährt
man in großer Spannbreite in den neuen Geschichten
über eine streßgeplagte Zunft.

»Suters satirischer Karriere-Leitfaden sollte in jedem
Büro ausliegen – zur Warnung! Bei diesen hundsge-
meinen Milieustudien genießt der Leser seine Rolle als
Vorstandsetagen-Voyeur und freut sich an den punkt-
genauen Dialogen, in denen jeder Satz sitzt wie ein gut
plazierter Dartpfeil.«
Karin Weber-Duve / Brigitte, Hamburg

Lila, Lila
Roman

David liebt Marie. Aber Marie interessiert sich nicht
groß für den Kellner, der da unbeholfen um sie herumschleicht.
Dann macht David einen Fund. In der Schublade eines
alten Nachttischs entdeckt er das Manuskript eines
Romans. Es muß aus den fünfziger Jahren stammen
und handelt von einer Liebe, so tief und rein, wie sie im
zynischen postmodernen 21. Jahrhundert kaum mehr
erfunden werden kann.
Marie, die David für den Autor hält, ist hingerissen und
bietet das Manuskript ohne sein Wissen einem Verlag
an. *Lila, Lila* wird zu einem Bestseller – und Marie
Davids Geliebte. Wie gern hätte er ihr die Wahrheit ge-
standen, aber: »Ihre Liebe war auf einem kleinen Be-

trug aufgebaut. Wenn man ihn beseitigte, nahm man ihr das Fundament.« Und dies will David um keinen Preis. Der Schneeball seiner kleinen Lüge wird groß und größer, bis er verheerende Ausmaße annimmt.

»Eine Liebesgeschichte und Satire rund ums Buch – brillant.« *Focus, München*

»Ich halte Martin Suter im Moment für einen der besten deutschsprachigen Autoren.«
Wolfgang Herles / ZDF aspekte

Richtig leben mit Geri Weibel
Sämtliche Folgen

Geri Weibel, Stammgast in der angesagten SchampBar, hat sich – nachdem er in so ziemlich alle Fettnäpfchen getreten ist – zu einer Art Trendseismograph in Fragen des derzeitigen Lifestyle herangebildet. Von A wie Alkohol, B wie Begrüßungsküßchen, F wie Fitness, I wie In-Quartier, K wie Kult, P wie Personality, S wie Szenelokal bis W wie Wohnung oder Weihnachtsrummel – Geri hat sie alle durchbuchstabiert und sich seine Gedanken dazu gemacht.

»Martin Suters Geri Weibel entlarvt vorzugsweise die hohlen Rituale der Lifestyle-Gesellschaft. Mit diesem ironischen Spiel gelingen Martin Suter hübsche Pointen. Es sind winzige soziologische Untersuchungen, die er vorlegt. Man liest sie leichthin, mit schnellem Vergnügen.«
Pia Reinacher / Frankfurter Allgemeine Zeitung

»Suters scharf geschliffene, brillant funkelnde Miniaturen amüsieren köstlich, zumal der Autor seine boshaft exakten Beobachtungen nicht mit Moralin übersäuert, sondern als spritzige Cocktails kredenzt.«
Peter Meier / Blick, Zürich

»Feinste Satire.« *Facts, Zürich*

Was will einem der CEO sagen, wenn er sich, ohne zu erröten, an der Kasse eines Supermarktes mit einer Flasche Champagner im Sonderangebot ertappen läßt? Bereitet er damit die Lohngespräche vor? – Kann man Charisma an sich selbst wahrnehmen oder – falls nicht – sich trösten, daß es sich damit verhalte wie mit dem eigenen Körpergeruch: Selbst registriert man es am wenigsten? – Was ist ein Workaholic? Etwa *ein Manager, der unter dem gesellschaftlichen Zwang steht, bis 19.00 Uhr Dinge zu tun, die ohne weiteres bis morgen warten könnten...?*

Dieser Band mit weiteren Geschichten aus der Business Class handelt von der Selbstbedienungsmentalität im Topmanagement. Von der enormen Anstrengung, einmal richtig auszuspannen. Von Entscheidungsautisten und deren Gegenteil – Chefs, die so gern modern wären, aber von ihren Mitarbeitern ständig daran gehindert werden. Von Managern im Lotussitz. Und immer wieder von den Feinstabstufungen auf der Karriereskala und den kleinen symbolträchtigen Gesten, die einen auf derselben hinauf- oder hinabbefördern.

»Ultrakurze, geschliffene, tödliche Texte mit Pointe. Suters Blick ist frisch und böse, sein Ohr für Dialoge ist untrüglich, und literarisch sind seine Sachen Kabinettstückchen.«
Constantin Seibt / Die Wochenzeitung, Zürich

»Pflichtlektüre für jeden Schwerarbeiter im Erfolgssektor!« *Der Standard, Wien*

Doris Dörrie
im Diogenes Verlag

»Doris Dörrie ist als Erzählerin Spezialistin in diffizi-
len Angelegenheiten der kleinen Rache und gezielten
Ohrfeigen zum Zwecke der Unterstützung des eigenen Selbstwertgefühles. Sie ist eine sehr gute Kurz-
geschichten-Schreiberin mit der erforderlichen Prise
Selbstironie und mit stilistischer Eleganz.«
Annemarie Stoltenberg / Die Zeit, Hamburg

»Eine der gegenwärtig besten Erzählerinnen in deut-
scher Sprache.« *Walter Vogl / Die Presse, Wien*

»Es ist vollkommen gleichgültig, ob Sie Doris Dörrie
in der Badewanne, im Intercity-Großraumwagen, im
Lehnstuhl oder in der Straßenbahn lesen, nur: Lesen
Sie sie!« *Deutschlandfunk, Köln*

Liaty Pisani
im Diogenes Verlag

Mit Ogden hat Liaty Pisani einen Spion geschaffen, der eine fatale Schwäche hat: Er hat ein Gewissen. Dennoch wird er mit seiner Intelligenz und Schnelligkeit bei den heikelsten Missionen eingesetzt. Für Ogden ist der Dienst seine Familie: als Ziehsohn eines Geheimdienstbosses ist er mit den Umgangsformen in der Welt der Top-Secret-Informationen vertraut. Was ihm nicht jede böse Überraschung erspart.

»Wenn es sich nicht noch herausstellt, daß es sich bei Liaty Pisani um John Le Carrés Sekretärin handelt, die ihm die Manuskripte maust, dann haben wir endlich eine weibliche Spionage-Autorin. Noch dazu eine mit literarischem Schreibgefühl.«
Martina I. Kischke / Frankfurter Rundschau

Der Spion und der Analytiker
Roman. Aus dem Italienischen von Linde Birk
(vormals: *Tod eines Forschers*)

Der Spion und der Dichter
Roman. Deutsch von Ulrich Hartmann

Der Spion und der Bankier
Roman. Deutsch von Ulrich Hartmann

Der Spion und der Schauspieler
Schweigen ist Silber
Roman. Deutsch von Ulrich Hartmann

Die Nacht der Macht
Der Spion und der Präsident
Roman. Deutsch von Ulrich Hartmann

Stille Elite
Der Spion und der Rockstar
Roman. Deutsch von Ulrich Hartmann

Jessica Durlacher
im Diogenes Verlag

Das Gewissen

Roman. Aus dem Niederländischen
von Hanni Ehlers

Sie sieht ihn zum ersten Mal an der Universität: Er ist
wie sie jüdischer Abstammung, beide Familien haben
traumatische Kriegserinnerungen, sie erkennt in ihm
ihren Seelenverwandten. Mit aller Wucht wirft sich die
junge Edna in die Katastrophe einer Liebe, die sie für
die ihres Lebens hält. Ein bewegendes Buch über eine
Frau, die erst lernen muß, ihr Leben und Lieben in die
richtige Bahn zu lenken.

»Jessica Durlacher schreibt mit Gespür für Situations-
komik und Selbstironie. Wer sich darauf einläßt, kann
verstehen, mitfühlen und mitlachen.«
Ellen Presser/Emma, Köln

Die Tochter

Roman. Deutsch von Hanni Ehlers

Im Anne-Frank-Haus in Amsterdam lernen sie sich
kennen: Max Lipschitz und Sabine Edelstein, beide
Anfang Zwanzig. Ungewöhnlich und schicksalhaft
wie der Ort ihrer Bekanntschaft ist auch die Liebes-
beziehung, die sich zwischen ihnen entspinnt. *Die
Tochter* ist ein wunderbarer Liebesroman, eine faszi-
nierende Geschichte mit unerwarteten Verwicklun-
gen und ein wichtiges Buch über die großen Themen
des Jahrhunderts.

»Ein besonderes Buch, das in die gleiche Kategorie
von Meisterwerken gehört wie der legendäre Film
Casablanca mit Humphrey Bogart und Ingrid Berg-
man.« *Max Pam/HP/DE TIJD, Amsterdam*